EL NIÑO Y SU MUNDO

EL NIÑO Y SU MUNDO

Juegos para desarrollar la inteligencia del niño de 1 a 2 años

Jackie Silberg

Ilustraciones de Linda Greigg

ONIRO

Título original: *Games to Play with Toddlers*
Publicado en inglés por Gryphon House, Inc.

Traducción y adaptación: Leonora Saavedra
Diseño de cubierta: Víctor Viano

Fotografía de cubierta: Stock Photos

Distribución exclusiva:
Ediciones Paidós Ibérica, S.A.
Mariano Cubí 92 – 08021 Barcelona – España
Editorial Paidós, S.A.I.C.F.
Defensa 599 – 1065 Buenos Aires – Argentina
Editorial Paidós Mexicana, S.A.
Rubén Darío 118, col. Moderna – 03510 México D.F. – México

1ª edición, 1998

ISBN: 84-89920-22-2
Depósito legal: B-10.143-1998

Impreso en Hurope, S.L.
Lima, 3 bis – 08030 Barcelona

Impreso en España – *Printed in Spain*

Índice

Nota de la autora 15
Pautas generales del desarrollo 17

Juegos de aprendizaje y desarrollo

12-15 meses

Juegos con colores . . . . 20 . . . . Distinguir los colores
Juegos con cajas . . . . 21 . . . . Distinguir las formas
Diviértete al aire libre . . . . 22 . . . . Valorar la naturaleza
Prende la pinza . . . . 23 . . . . .La coordinación
¿Sabes hacer esto? . . . . 24 . . . . .Aprender a imitar
Títeres tristes y alegres . . . . . . 25 . . . . . Las aptitudes lingüísticas
Juego con las partes del cuerpo . . 26 . . . . . Las aptitudes lingüísticas

15-18 meses

Bloques de construcción . . . . . . 27 . . . . .La coordinación
Rompecabezas personales . . . . . 28 . . . . . Montar un rompecabezas
Las pelotas malabares . . . . 29 . . . . La creatividad
Juguemos a casita . . . . 30 . . . . La creatividad
Los bloques son lo que tú quieras . 31 . . . . La imaginación
Hola, ¿quién es? . . . . 32 . . . . . Las aptitudes lingüísticas
Tráeme el objeto . . . . 33 . . . . . Las aptitudes lingüísticas
El libro de las palabras . . . . . . 34 . . . . . Las aptitudes lingüísticas
Está en la bolsa . . . . 35 . . . . Resolver problemas
Pasa los juguetes . . . . 36 . . . Los conceptos de vacío-lleno
Formas similares . . . . 37 . . . . . . Emparejar objetos
Juguemos a las muñecas . . . . . . 38 . . . . . La capacidad de escuchar

18-21 meses

Encaja las piezas . . . . 39 . . . . Emparejar objetos
La masa mágica . . . . 40 . . . La capacidad de observación
Mira cómo comen los pájaros . . . 41 . . . La capacidad de observación
Haz lo que yo haga . . . . 42 . . . . Aprender a imitar
Abre estos botes . . . . 43 . . . . La coordinación

El juego de desenvolver. . . . . 44 . . . . La coordinación
Vamos a pescar . . . . 45 . . . . La coordinación
Las piezas del rompecabezas . . . . 46 . . . . . Montar un rompecabezas
Todo sobre mí. . . . . 47 . . . . . Las aptitudes lingüísticas

21-24 meses

Enciendo y apago la luz . . . . . . 48 . . . . La autonomía
Brinca que te brinca . . . . 49 . . . . Aprender a contar
De dos en dos . . . . 50 . . . . Aprender a contar
Dentro de la bolsa. . . . . 51 . . . . . Resolver problemas
¿En cuál de ellos está?. . . . . . . 52 . . . . . Resolver problemas
¡A saltar el obstáculo! . . . . 53 . . . . . Aprender a saltar
Sigue al líder. . . . . 54 . . . . El equilibrio
El juego de los sonidos . . . . . . 55 . . . . Distinguir los sonidos
Juguemos a girar la tabla . . . . . 56 . . . . . Las aptitudes lingüísticas
El primer juego de lectura . . . . . 57 . . . . . Las aptitudes lingüísticas
Caminando sobre figuras . . . . . . 58 . . . . . Distinguir las formas

Juegos con ositos de peluche

12-15 meses

¿Dónde está el oso? . . . . 60 . . . . La concentración
La cueva del osito . . . . 61 . . . . . Las aptitudes lingüísticas
El oso cruzó la montaña . . . . . . 62 . . . . . Las aptitudes lingüísticas
Suelta el osito . . . . 63 . . La coordinación óculo-manual
El juego de tocar y nombrar . . . . 64 . . . . Conocer el propio cuerpo
El osito también juega . . . . . . 65 . . . . . . La capacidad de jugar
El tren del osito de peluche . . . . 66 . . . . La coordinación

15-18 meses

Bocadillos en forma de osito . . . . 67 . . . . La coordinación
Escucha, osito . . . . 68 . . . . . La capacidad de escuchar
Juguemos a subir la torre . . . . . 69 . . . . Divertirse
Diviértete con tu osito . . . . . . 70 . . . Las aptitudes lingüísticas
Columpiemos al osito. . . . . 71 . . . El concepto de causa-efecto
Alto y bajo . . . . 72 . . El significado de «alto» y «bajo»

18-21 meses

La magia del osito de peluche . . . 73 . . . . La capacidad de jugar
El corro de la patata . . . . 74 . . . . La capacidad de jugar
Osito, osito. . . . . 75 . . . . Seguir instrucciones
¿Dónde está el osito? . . . . 76 . . . . Seguir instrucciones
Un almuerzo con mi osito . . . . . 77 . . . . La conducta social

21-24 meses

El osito se pone al volante . . . . . 78 . . . . La imaginación
Tres osos . . . . 79 . . . . La capacidad de escuchar
Gira, gira y para . . . . 80 . . . . La capacidad de escuchar
Cinco ositos . . . . 81 . . . . Aprender a contar
El osito saltarín . . . . 82 . . La coordinación óculo-manual
El osito sobre el tronco . . . . . . 83 . . . . . Las aptitudes lingüísticas
El osito-trompo . . . . 84 . . . . Divertirse

Juegos en la cocina

12-15 meses

El juego de rasgar papel . . . . . . 86 . . . . La coordinación
Tira de los cordones . . . . 87 . . . . Resolver problemas
Diviértete con los cereales . . . . 88 . . . . Resolver problemas
Diviértete con el arroz . . . . . . 89 . . . . . Distinguir las texturas
¿Qué hay en el cajón? . . . . 90 . . . La capacidad de explorar
Bloques de papel . . . . 91 . . . . La creatividad
Mira cómo gira el plato . . . . . . 92 . . . . Las aptitudes lingüísticas
El juego de dentro y fuera . . . . 93 . . La coordinación óculo-manual
Juega con tu muñeca . . . . 94 . . . . Seguir instrucciones

15-18 meses

¿Dónde estás? . . . . 95 . . . . Las aptitudes lingüísticas
¡A barrer el suelo! . . . . 96 . . . . Aprender a imitar
Tres patitos . . . . 97 . . . . Aprender a imitar
Diviértete con la pasta . . . . . . 98 . . . Distinguir las formas
El juego de olisquear . . . . 99 . . . . Distinguir los olores
Calabazas . . . . 100 . . . . Las aptitudes lingüísticas

18-21 meses

La batería de la cocina . . . . . . 101 . . . . Divertirse
El juego de emparejar objetos . . . 102 . . . . . Cosas iguales y diferentes
El juego de las pinzas de cocina . . 103 . . . . La coordinación
Experimentos con plastilina . . . . 104 . . . . La creatividad
La comida . . . . 105 . . . . Las aptitudes lingüísticas

21-24 meses

El juego de los espaguetis . . . . . 106 . . . . . La capacidad de explorar
Dos perritos calientes . . . . . . 107 . . . . Divertirse
Duro y blando . . . . 108 . . Distinguir lo duro de lo blando
Cinco guisantes . . . . 109 . . . . La imaginación
El juego del cuentagotas . . . . . 110 . . . . La coordinación

Juegos al aire libre

12-15 meses

Ejercicio en el césped . . . . 112 . . . . La coordinación
Pies contentos. . . . . 113 . . . . La coordinación
Lavemos las piedras . . . . 114 . . . . . Distinguir las texturas
El juego de las pelotas . . . . 115 . . . . Las aptitudes lingüísticas
Una visita por el vecindario . . . . 116 . . . . . Las aptitudes lingüísticas
Lavar es divertido. . . . . 117 . . . . Seguir instrucciones

15-18 meses

Los tesoros de la naturaleza . . . . 118 . . . . .Valorar la naturaleza
El juego del diente de león . . . . 119 . . . . .Valorar la naturaleza
El juego de rodar. . . . . 120 . . . . . . Derecha e izquierda
El juego de trazar líneas . . . . . . 121 . . . . La coordinación
Recoge las pelotas malabares . . . 122 . El sentido de la responsabilidad
Juguemos a dar volteretas . . . . . 123 . . . . Seguir instrucciones
El cojín que se columpia . . . . . . 124 . . . . Aprender a imitar
Es hora de regar . . . . 125 . . La coordinación óculo-manual

18-21 meses

El juego de la selva . . . . 126 . . . . .Conocer el propio cuerpo
Juguemos con cintas . . . . 127 . . . . La coordinación
Juguemos al escondite . . . . 128 . . . . La capacidad de escuchar
Pintemos el mundo . . . . 129 . . . . . Las aptitudes lingüísticas
¡A caminar! . . . . 130 . . . . La coordinación
Juegos de soplar . . . . 131 . . . . . Las aptitudes lingüísticas
El caballito del marqués . . . . . . 132 . . . . Divertirse

21-24 meses

San Serenín . . . . 133 . . . . Divertirse
La pelota rueda por el túnel. . . . 134 . . . . . . Hacer rodar una pelota
Corre hacia el árbol . . . . 135 . . . . . Las aptitudes lingüísticas
Juegos para caminar . . . . 136 . . . . La coordinación
Atrapa la pelota. . . . . 137 . . . . Jugar a la pelota
Juguemos a saltar . . . . 138 . . . . Aprender a saltar
Diviértete con una lupa . . . . . . 139 . . La capacidad de observación
Juguemos con arena . . . . 140 . . . . La creatividad
Una manta y una pelota . . . . . . 141 . . La coordinación óculo-manual

12-15 meses

Cucú, aquí estoy . . . . 144 . . . . La relación de apego
Marinero que se fue a la mar . . . 145 . . . . Las aptitudes lingüísticas
¿Dónde está el pollito? . . . . 146 . . . . Las aptitudes lingüísticas
La colmena de abejas. . . . . 147 . . . . Las aptitudes lingüísticas
¡A que no me pillas! . . . . 148 . . . . Divertirse
Frío y calor . . . . 149 . . . . . Distinguir cosas opuestas
¿Dónde estoy? . . . . 150 . . . . . La capacidad de escuchar
Diviértete con unos sombreros . . 151 . . . . .La creatividad

15-18 meses

Mira por la ventana. . . . . 152 . . . . Divertirse
Juguemos con pompas de jabón. . 153 . . . . Divertirse
Tipitina, tipitón. . . . . 154 . . . . Divertirse
Dos juegos para botar . . . . . . 155 . . . . Divertirse
Chu, chú, súbete al tren . . . . . 156 . . . . El equilibrio
Un juguete sonoro . . . . 157 . . . . .La capacidad de escuchar
Los títeres son divertidos. . . . . 158 . . . . Las aptitudes lingüísticas
Mi amigo el títere. . . . . 159 . . . . Las aptitudes lingüísticas
Sami Samba . . . . 160 . . . . La relación de apego

18-21 meses

Si eres un buen chico. . . . . 161 . . . . .Conocer el propio cuerpo
Un juego para hacer ejercicio . . . 162 . . . . Hacer ejercicio
El pececito. . . . . 163 . . . . . Las aptitudes lingüísticas
El juego de la linterna . . . . 164 . . . . . Las aptitudes lingüísticas
En busca del arco iris. . . . . 165 . . . La capacidad de observación
Juguemos con arena . . . . 166 . . . . La imaginación
Cruz y raya, mi buen Bartolo . . . 167 . . . . La relación de apego

21-24 meses

Un elefante . . . . 168 . . . . Divertirse
Abracadabra. . . . . 169 . . . La capacidad de observación
Vamos a recoger los juguetes . . . 170 . El sentido de la responsabilidad
Las gafas de la abuela. . . . . . . 171 . . . . . Las aptitudes lingüísticas
Una pelota pequeña . . . . 172 . . . . . Las aptitudes lingüísticas

Juegos artísticos y musicales

12-15 meses

Veo, veo . . . . 174 . . . . Identificar objetos
Canta y bota la pelota . . . . . . 175 . . . . Aprender a contar
El juego de los garabatos . . . . 176 . . La coordinación óculo-manual
¿Dónde está? . . . . 177 . . . La capacidad de observación
Cha, cha, chá . . . . 178 . Desarrollar el sentido del ritmo
Cabeza y hombros . . . . 179 . . . . .Conocer el propio cuerpo

15-18 meses

¡A remar! . . . . 180 . . . . La coordinación
Canta con campanas y panderetas 181 . Desarrollar el sentido del ritmo
El juego de las formas . . . . . . 182 . . . . La creatividad
Don Melitón . . . . 183 . . . . Aprender a contar
Al juego chirimbolo . . . . 184 . . . . Conocer el propio cuerpo
El juego de los dos pies . . . . . 185 . . . . La coordinación
A la estación . . . . 186 . . . . . La capacidad de escuchar

18-21 meses

Arte al aire libre . . . . 187 . . . . .La imaginación
Un instrumento casero . . . . . 188 . Desarrollar el sentido del ritmo
El patio de mi casa . . . . 189 . . . . La relación de apego
El juego de las sombras . . . . 190 . Aprender lo que son las sombras
Pinta con los pies . . . . 191 . . . . La coordinación
Ya llegó el correo . . . . 192 . . . . Las aptitudes lingüísticas
Canciones para los títeres . . . . 193 . . . . . . La capacidad de jugar

21-24 meses

Montemos un colage . . . . 194 . . . . La creatividad
¡A moldear la plastilina! . . . . . 195 . . . . .La creatividad
Estampados de calabaza . . . . . 196 . . . . La creatividad
Canciones divertidas . . . . . . 197 . . . . Las aptitudes lingüísticas
El juego de las pegatinas . . . . 198 . . . . La conducta social
Encuentra su par . . . . 199 . . . . Emparejar objetos
Música, maestro . . . . 200 . Desarrollar el sentido del ritmo
¿Dónde está Pulgarcito? . . . . . 201 . . . . La coordinación
Mueve los deditos de los pies . . . 202 . . . . Conocer el propio cuerpo

Juegos para el coche

12-15 meses

¿Ves lo que yo veo? . . . . 204 . . . La capacidad de observación
¿Quién está en el coche? . . . . . 205 . . . . . Las aptitudes lingüísticas
Vamos a conducir. . . . . 206 . . . . La imaginación

15-18 meses

Canta en el coche . . . . 207 . . . . . Las aptitudes lingüísticas
Miro por la ventana . . . . 208 . . . . . Las aptitudes lingüísticas
Títeres para el coche . . . . 209 . . . . . Las aptitudes lingüísticas
Así conducimos el coche . . . . . 210 . . . . . Las aptitudes lingüísticas
Juguemos al escondite en el coche 211 . . . . Divertirse

18-21 meses

Bolsillos con sorpresas . . . . . . 212 . . . . La capacidad de jugar
Luz verde, luz roja . . . . 213 . . . . . Distinguir los colores
En el coche de papá/mamá . . . . 214 . . . . Divertirse
Toca la bocina . . . . 215 . . . . . Las aptitudes lingüísticas

21-24 meses

Hablemos del coche . . . . 216 . . . . . . La capacidad de pensar
Un teléfono en el coche . . . . . . 217 . . . . . Las aptitudes lingüísticas
Mi chiquitina tiene un coche . . . 218 . . . . . Las aptitudes lingüísticas
Es divertido charlar . . . . 219 . . . . . Las aptitudes lingüísticas
Veo, veo . . . . 220 . . . La capacidad de observación

Juegos para crear un vínculo especial

12-15 meses

Un paseo por los colores . . . . . 222 . . . . Distinguir los colores
El conejito chiquitito . . . . 223 . . . . Divertirse
Libros y animales . . . . 224 . . . . . . Conocer los animales
Sonidos de animales . . . . 225 . . . . . . Conocer los animales
Yo tengo . . . . 226 . . . Conocer el propio cuerpo
¿Qué haremos con este bebé? . . . 227 . . . . . . Fomentar la confianza

15-18 meses

Un juego para compartir . . . . . 228 . . . . Aprender a compartir
Dos golondrinas . . . . 229 . . . . Aprender a imitar
Todo se mueve . . . . 230 . . . Conocer el propio cuerpo
Las primeras volteretas . . . . . . 231 . . . . La coordinación
Fíjate en los detalles . . . . 232 . . . La capacidad de observación

18-21 meses

Diviértete con una linterna . . . . 233 . . . . . . La capacidad de pensar
¡A divertirse con los pies! . . . . 234 . . . . Conocer el propio cuerpo
Juguemos al balancín . . . . 235 . . . . La coordinación
Pipirigallo . . . . 236 . . . . Divertirse

21-24 meses

La arañita juguetona . . . . 237 . . . . Las aptitudes lingüísticas
¿Dónde vive el bebé? . . . . 238 . . . . Divertirse
Adivina lo que se esconde . . . . 239 . . . . . . La capacidad de pensar
Los sentimientos . . . . 240 . . . . La conducta social

Juegos para bañarse y vestirse

12-15 meses

La boca comilona . . . . 242 . . . . . Las aptitudes lingüísticas
Es la hora de vestirse . . . . 243 . . . Las aptitudes lingüísticas
Ya viene la lluvia . . . . 244 . . . . Las aptitudes lingüísticas
Despertad, pies . . . . 245 . . . . Conocer el propio cuerpo
Las campanas de Montalbán . . . 246 . . . . . . .La relación de apego

15-18 meses

¿Dónde está tu codo? . . . . . . 247 . . . Conocer el propio cuerpo
El poema del cuerpo . . . . 248 . . . Conocer el propio cuerpo
Había un hombrecito . . . . . . 249 . . . . Divertirse
Mira la lluvia . . . . 250 . . . . La coordinación
El minero en la mina . . . . 251 . Aprender a vestirse y desvestirse
Las mañanitas . . . . 252 . . . . . Las aptitudes lingüísticas

18-21 meses

Pegatinas para el cuerpo . . . . . 253 . . . . Conocer el propio cuerpo
Canciones para la bañera . . . . 254 . . . . . . La relación de apego
Una, dola, tela, catola . . . . . . 255 . . . . Las aptitudes lingüísticas
Atrapa las pompas de jabón . . . 256 . La coordinación óculo-manual
¡Fuera los zapatos! . . . . 257 . . . . La autonomía

21-24 meses

La muñeca nadadora . . . . . . 258 . . . . Conocer el propio cuerpo
¿Qué llevas puesto? . . . . 259 . . . . Las aptitudes lingüísticas
Aquí está el mar . . . . 260 . . . . La coordinación
Yo me lavo los dientes . . . . . 261 . . . . La autonomía
¿Flota o se hunde? . . . . 262 . . . . . La capacidad de pensar

Juegos con los dedos de las manos y los pies

12-15 meses

Un rompecabezas original . . . . . 264 . . . . . Montar un rompecabezas
Mira cómo cae . . . . 265 . . . . . . Sujetar y soltar objetos
Los cerditos . . . . 266 . . . . Aprender a imitar
La guarida del zorro . . . . 267 . . . . . Las aptitudes lingüísticas

15-18 meses

¿Ves esta araña? . . . . 268 . . . . Divertirse
Conversación entre dos dedos . . 269 . . . . . Las aptitudes lingüísticas
Juega a imitarme . . . . 270 . . . . Aprender a imitar
Mira lo que hacen mis dedos . . . 271 . . . . Conocer el propio cuerpo
Pinocho . . . . 272 . . . . Conocer el propio cuerpo
La caja-sorpresa . . . . 273 . . . . La coordinación

18-21 meses

Cuidado, conejito . . . . 274 . . . . Aprender a imitar
Paco Pulgar y Pedro Pulgar . . . 275 . . . . Aprender a imitar
Diez dedos tengo . . . . 276 . . . . Seguir instrucciones
Juntemos las dos piernas . . . . . 277 . . . . La coordinación

21-24 meses

El bote de galletas . . . . 278 . . . . Aprender a imitar
Juegos con las manos . . . . . . 279 . . . . Divertirse
Una canción divertida . . . . . . 280 . . . . Divertirse
Yo toco . . . . 281 . . . . Conocer el propio cuerpo
Mariposa . . . . 282 . . . . . La capacidad de escuchar

Índice de canciones 283

Nota de la autora

Estar con niños de uno a dos años es maravilloso; son muy curiosos, sus ganas de explorar y crear son insaciables. La interacción social con los adultos que les cuidan es esencial para que los niños de esta edad desarrollen estabilidad emocional y confianza en las personas. Cuando los pequeños se sienten seguros de manifestar su energía y capacidad creativa con espontaneidad, su desarrollo es óptimo. Los juegos siempre han sido una manera natural de establecer un contacto muy positivo entre los niños de esta edad y los padres y otros adultos que les cuidan. Este libro, además de sugerirte algunas ideas nuevas, quizá también te sirva para recordar algún juego familiar, o alguna canción o poema que se te había olvidado.

Tanto los niños como los adultos han jugado y disfrutado con los juegos de este libro. Estos juegos, que proceden de distintas culturas y grupos étnicos, se han elegido cuidadosamente para que sean lo más adecuados posible para cada grupo de edad.

No se me ocurre nada más divertido que poder jugar con un niño o una niña de uno a dos años. ¡Disfruta del tuyo todo lo que puedas!

Jackie Silberg

La escala de edad que se indica para cada actividad es un cálculo aproximado. Recuerda que cada niño se desarrolla a su propio ritmo. Utiliza tu conocimiento de tu hijo o hija en concreto para calibrar si esa actividad es la adecuada en ese momento.

Pautas generales del desarrollo

Desarrollo motor, auditivo y visual

Camina por su cuenta
Sube y baja las escaleras cogido de la mano de un adulto
Es capaz de sujetar dos objetos pequeños con una mano
Puede saltar sin desplazarse
Patea una pelota grande
Tira la pelota con la mano hacia delante
Reconoce personas que le son familiares
Hace garabatos en el papel
Es capaz de apilar de tres a seis bloques en una torre
Gira pomos
Encuentra y apareja objetos del mismo color, tamaño y forma
Señala objetos distantes que son de su interés cuando está al aire libre
Se gira hacia un miembro de la familia cuando oye el nombre de esta persona
Entiende y sigue instrucciones fáciles
Escucha con atención sonidos como los de un reloj, una campana, o un silbato
Agita su cuerpo rítmicamente cuando escucha música
Lleva a cabo instrucciones que consisten en dos indicaciones

Desarrollo del lenguaje y del conocimiento

Parlotea y gesticula con expresión
Identifica imágenes en un libro
Utiliza palabras individuales con sentido
Nombra objetos cuando se le pregunta: «Qué es esto?»
Utiliza veinte palabras o más cuando habla
Es capaz de nombrar al menos veinticinco objetos que le resultan familiares
Gesticula para indicar lo que quiere o necesita
Nombra sus juguetes
Usa palabras para explicar lo que quiere o necesita
Combina dos palabras diferentes
Intenta cantar
Habla con frases muy sencillas
Busca y encuentra objetos familiares

Mete objetos en recipientes
Gira de dos a tres páginas de un libro a la vez
Señala imágenes en un libro
Recuerda dónde deben ir los objetos
Consigue un juguete ayudándose con un cordón o un palo

Desarrollo del concepto de sí mismo

Exige que le presten atención
Señala diferentes partes de su cuerpo cuando éstas se nombran
Insiste en ser él quien se mete la comida en la boca
Nombra partes del cuerpo de una muñeca
Reivindica que ciertos objetos le pertenecen
Se refiere a sí mismo utilizando su nombre
Es capaz de ponerse calcetines y manoplas sin ayuda
Come con cuchara
Bebe de un vaso
Intenta lavarse solo
Ofrece un juguete, pero sin soltarlo
Juega por su cuenta cuando está con otro niño o niña
Disfruta de paseos cortos
Pide agua y comida cuando tiene sed o hambre

Todos los juegos y actividades incluidos en este libro están pensados tanto para niños como para niñas. Por eso, el criterio que se ha seguido es el de nombrar los dos géneros a partes iguales, ora una niña en una actividad, ora un niño en otra, de tal manera que nadie se sintiera excluido. (*N. del Ed.*)

Juegos de aprendizaje y desarrollo

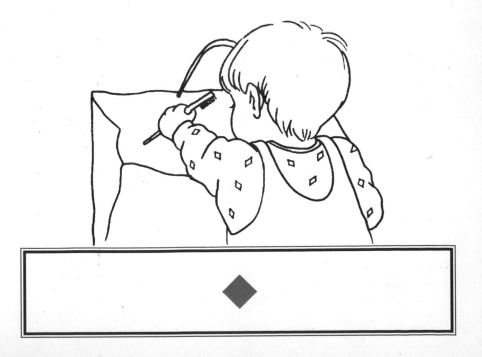

Juegos con colores

◆ El primer paso para aprender a identificar y nombrar los colores es distinguir y juntar los que son del mismo color o tonalidad.

◆ Siéntate en el suelo con tu hijo. Escoge un coche de juguete azul o rojo y hazlo rodar hacia adelante y hacia atrás, acompañando esta acción con sonidos parecidos al de un motor de coche.

◆ Al cabo de un rato, déjalo a un lado y escoge otro de distinto color para jugar con él.

◆ Ahora, coge dos cartulinas de los mismos colores que los coches de juguete. Coloca las cartulinas en el suelo y pon cada coche sobre la cartulina que le corresponde por su color.

◆ Saca uno de los coches de la cartulina y pídele a tu hijo que lo coloque sobre la cartulina del mismo color. Ve variando el coche que sacas de su cartulina. Mientras jugáis a este juego, no olvides mencionar cada vez el color al que te estás refiriendo.

◆ Si juegas a menudo, tu pequeño desarrollará rápidamente su capacidad de emparejar los colores.

OBJETIVO DEL JUEGO:
DISTINGUIR LOS COLORES

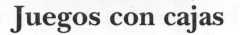
Juegos con cajas

◆ Las cajas son una fuente inagotable de diversión para los niños pequeños y les proporcionan muchas horas de placer.

◆ Reúne algunos juguetes pequeños y envases de plástico que tengas a mano. Dale una caja grande a tu hija y anímale a meter sus juguetes en su interior. Una vez que haya acabado de meterlos, sugiérele que vuelque la caja para recuperar sus juguetes.

◆ Consigue una caja de zapatos. Corta formas geométricas sencillas (círculos, cuadrados, triángulos) en la tapa y quédate con las formas de cartón recortadas. Dáselas para ver si es capaz de encajar cada forma en el agujero correcto.

◆ Otro juego que puedes probar es el de ofrecerle cajas de diferentes tamaños. Esto es ideal para que aprenda a apilar las cajas, pues muy pronto se dará cuenta de que la caja más grande debe ir debajo de todas las demás para que la torre tenga equilibrio. Además, al pesar tan poco, no pasa nada si se derrumba la pila. Estas cajas también pueden servir para hacer nidos o casitas para sus juguetes.

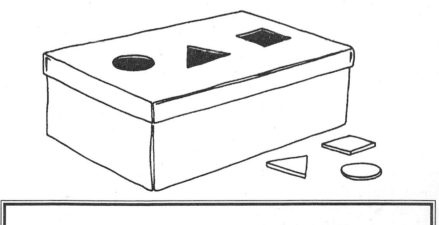

◆ OBJETIVO DEL JUEGO:
DISTINGUIR LAS FORMAS

Diviértete al aire libre

◆ Salir a pasear por un parque es agradable y saludable para los pequeños, además de que les sirve para descubrir todo tipo de cosas maravillosas. Aquí te proponemos unas cuantas actividades que puedes compartir con tu hijo.

Siente cómo juega el viento con tu pelo, alborotándolo.
Disfruta sintiendo las gotas de lluvia que se deslizan por tu cara.
Huele una flor.
Observa una mariposa de cerca.
Sostén un gusano en la palma de tu mano.
Estírate sobre el césped y mira las nubes que van pasando.
Hinca los dedos de los pies en el barro.

◆ Otras sugerencias que puedes llevar a cabo son:

Aplastar una hoja de otoño en la mano para oír cómo cruje.
Amontonar las hojas para saltar encima de ellas.
Plantar unas semillas y ver cómo crecen.
Probar verduras y frutas recién cogidas (de tu jardín o de un huerto).
Sacar la lengua para atrapar y probar un copo de nieve.

OBJETIVO DEL JUEGO:
VALORAR LA NATURALEZA

Prende la pinza

◆ Quita la tapa de una lata cilíndrica grande o de un recipiente parecido. Ten cuidado; evita cualquier lata que tenga los rebordes de metal afilados o en pico, pues tu hija se puede hacer daño.

◆ Enséñale a tu pequeña a prender una pinza al borde de la lata.

◆ Dale varias pinzas para que las coloque en el borde de la lata; enséñale cómo presionar la pinza para abrirla y poder cogerla de nuevo para meterla en el bote.

◆ A los niños de uno a dos años les encanta este juego, que además es una actividad excelente para desarrollar su coordinación óculo-manual.

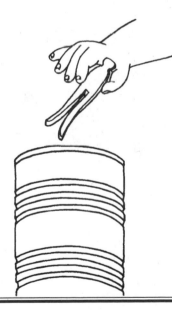

 OBJETIVO DEL JUEGO:
LA COORDINACIÓN

¿Sabes hacer esto?

(Este juego es genial para distraer a los niños cuando se ponen pesados.)

◆ Acércate a un espejo grande que tengas en casa con tu niño en brazos. Mientras señalas su imagen en el espejo, dile: «Mira qué niño más guapo».

◆ Haz carotas y muecas divertidas mirándote al espejo mientras tu hijo te observa. Verás que al cabo de un rato te intentará imitar.

◆ Levanta su brazo delante del espejo y dile: «Mira el brazo de mi niño». Repite esto con diferentes partes de su cuerpo, nombrándolas cada vez.

◆ Dale un beso ruidoso. Ahora besa tu propio reflejo. Pestañea, guiña el ojo y juega al escondite con tu propia imagen.

◆ OBJETIVO DEL JUEGO:
APRENDER A IMITAR

Títeres tristes y alegres

◆ Busca dos cucharas grandes de madera. En una de ellas dibuja una cara alegre con un rotulador negro que fije bien la tinta; en la otra dibuja una cara triste.

◆ Siéntate en una silla con tu niña en el regazo.

◆ Sostén la cara alegre ante ella y di cosas simpáticas y alegres.

«Eres una niña muy buena.»
«Hoy hace un día espléndido.»

◆ Ahora sujeta la cara triste delante de tu hija y cambia el tono de voz para que se adecue a la cara. Los sonidos de llanto como «bujuju» o «uaaa, uaaa» fascinan a los niños.

◆ Pídele que elija entre la voz alegre y la voz triste y dale la cuchara con la cara correspondiente. Ahora anímale para que diga algo de acuerdo con la cara que escogió.

◆ Responde con gran entusiasmo a cualquier sonido que haga; poco a poco irá afinando sus respuestas.

OBJETIVO DEL JUEGO:
LAS APTITUDES LINGÜÍSTICAS

Juego con las partes del cuerpo

◆ El momento clave para este juego es cuando tu hijo está comenzando a nombrar las partes de su cuerpo.

◆ Toca tus orejas y dile: «Yo me estoy tocando las orejas. ¿Sabes tocarte las orejas?».

◆ Dale tiempo para que asimile la pregunta y repítela si hace falta. Si ha captado tu pregunta a la primera y ha sabido contestarte tocándose las orejas, intenta este juego con palabras que escucha menos a menudo; prueba las palabras codos, barbilla, tobillos, espalda, etc., y anímale a que repita las palabras contigo.

◆ Si tu hijo se toca una parte de su cuerpo que no habéis nombrado, dile cómo se llama e imítale.

◆ Las canciones que nombran partes del cuerpo ayudan a reforzar estos nuevos conocimientos. Dos canciones que puedes usar para este juego son «Pim-Pom es un muñeco» y «La cojita», o cualquier otra que conozcas con el mismo tema.

OBJETIVO DEL JUEGO:
LAS APTITUDES LINGÜÍSTICAS

Bloques de construcción

◆ Siéntate en el suelo con tu niña.

◆ Coge un bloque y ponlo en el suelo mientras le dices: «Estoy poniendo un bloque en el suelo».

◆ Coloca un segundo bloque encima del primero y dile: «Estoy poniendo dos bloques en el suelo».

◆ Repite lo mismo con un tercer bloque.

◆ Ahora dale un golpecito a la torre para que se derrumbe. Pídele a tu pequeña que reconstruya la torre y deja que lo intente hacer sola. Si ves que se frustra porque no lo consigue, échale una mano.

◆ A medida que su coordinación vaya mejorando, podrá hacer una torre más alta añadiendo más bloques.

◆ OBJETIVO DEL JUEGO:
LA COORDINACIÓN

Rompecabezas personales

◆ Dale a tu niño una cartulina o un cartón grande que no sea de un color muy oscuro.

◆ Si tienes colores de cera, deja que él escoja unos cuantos colores para pintar en la cartulina.

◆ Una vez que ya haya acabado de pintar, cubre su obra con papel transparente adhesivo.

◆ Ahora corta el papel en dos o tres piezas, dependiendo de las capacidades de tu hijo.

◆ Dale este rompecabezas sencillo para que encaje las piezas; si le cuesta, ayúdale.

◆ Puedes hacer otros rompecabezas fáciles con pan blando y lonchas de queso.

◆ OBJETIVO DEL JUEGO:
MONTAR UN ROMPECABEZAS

Las pelotas malabares

◆ Las pelotas malabares resultan unos magníficos juguetes para los pequeños; son blandas, seguras y muy útiles para estimular y fomentar su creatividad en los juegos.

◆ Piensa en todas las cosas que tu hijo y tú podéis hacer con ellas para jugar y aprender a la vez.

Puedes lanzarlas.
Puedes apilarlas.
Puedes ponerlas sobre tu cabeza, tu espalda o tu estómago.
Puedes echarte en el suelo con los pies en alto equilibrando una pelotita en cada pie.
Puedes jugar a encestarlas en recipientes de diferentes tamaños.

OBJETIVO DEL JUEGO:
LA CREATIVIDAD

Juguemos a casita

◆ Haz una tienda de campaña o una casita para que juegue tu hija. Pon una sábana muy grande sobre una mesa o sobre los respaldos de dos o más sillas para hacer una tienda muy sencilla.

◆ Si quieres algo más elaborado, compra algunos metros de fieltro y cubre una mesa pequeña con este material. Las paredes podrían ser de un fieltro de color diferente al del techo, e incluso podrías abrir unas ventanas y realizar otras decoraciones para la casita con la ayuda de tu pequeña.

◆ Finge que la superficie cubierta de la mesa es una cueva, un avión, un tren, una nave espacial, o una casa. Cada vez que juegues imagina un ambiente diferente para que el juego sea más variado.

◆ Coge un cojín, una manta y un muñeco de peluche para que tu niña los meta en su casita.

OBJETIVO DEL JUEGO:
LA CREATIVIDAD

Los bloques son lo que tú quieras

(Esta actividad fomenta la creatividad de los pequeños.)

◆ Tu hijo puede aprender a desarrollar su inventiva con los bloques de construcción.

◆ Coge un bloque y deslízalo por el suelo. Dile: «Aquí está (el nombre de tu hijo), conduciendo un coche».

◆ Añade más frases a tu relato sobre el bloque; puedes decir: «¡Bip, bip, atención, coches, que paso yo!» o «Cuidado, hay que parar, que la luz está en rojo».

◆ Anímale para que se invente otros juegos con bloques en los que use su imaginación. Por ejemplo, puedes hacer como si dos bloques fueran dos personas diferentes que mantuvieran una conversación.

OBJETIVO DEL JUEGO:
LA IMAGINACIÓN

Hola, ¿quién es?

◆ Consigue o crea un teléfono de juguete para que tu hija pueda jugar contigo o a solas con el aparato.

◆ Di: «Riiing, riiing». Finge que está sonando el teléfono y contesta.

◆ Mientras mantienes una conversación con una persona imaginaria (alguien que tu niña conozca bien, como sus abuelos o algunos amigos cercanos), intercala frases dirigidas a ella. Por ejemplo, di: «Hola, abuelo» y después gírate hacia tu hija y dile: «Es tu abuelo». Habla por teléfono de alguna actividad especial, una visita, una comida o tus planes para ese día. Asegúrate de que la pequeña entiende lo que estás diciendo para que se sienta incluida en la conversación.

◆ Antes de colgar, no te olvides de decir: «Adiós».

◆ Ahora dale el teléfono y sugiérele que le toca a ella tener una conversación imaginaria.

◆ OBJETIVO DEL JUEGO:
LAS APTITUDES LINGÜÍSTICAS

Tráeme el objeto

◆ Coloca al otro lado de la habitación un objeto que tu niño pueda reconocer fácilmente (un juguete u objeto de la casa).

◆ Pídele a tu hijo que te lo traiga: «Por favor, tráeme la muñeca».

◆ Una vez que lo haya hecho, prémiale con un elogio entusiasta y un abrazo muy fuerte.

◆ Aumenta la dificultad del juego añadiendo más objetos. Por ejemplo, puedes poner un sombrero, un zapato y un bloque al otro lado de la habitación, indicándole a tu pequeño que te traiga únicamente el zapato.

◆ Ahora pídele que te traiga otros objetos que estén en la habitación.

◆ Un reto aún mayor sería esconder el objeto debajo de una silla, a la vuelta de una esquina o detrás de un cojín y pedirle a tu hijo que lo buscara para traértelo.

**OBJETIVO DEL JUEGO:
LAS APTITUDES LINGÜÍSTICAS**

El libro de las palabras

◆ Los niños de uno a dos años aumentan su vocabulario cada día. A veces dicen palabras y otras las piensan sin llegar a decirlas, pero entienden muchas que no utilizan.

◆ Una forma de incrementar y reforzar su vocabulario es elegir algunas de las palabras que ya puede usar o entiende y encontrar imágenes que las definen, por ejemplo, coche, perro, manzana, etc.

◆ Muéstrale las imágenes a tu hija y pregúntale qué es cada una de ellas.

◆ Encola cada imagen o foto en una hoja de papel y haz un libro para ella.

◆ A tu pequeña le encantará mirar el libro contigo o por su cuenta. Si lo mira contigo, puedes hacerle preguntas para reforzar su vocabulario; por ejemplo, si la foto es de un coche, pregúntale de qué color es, si parece grande o pequeño, si está en una carretera o delante de una casa, etc.

OBJETIVO DEL JUEGO:
LAS APTITUDES LINGÜÍSTICAS

Está en la bolsa

◆ Escoge dos o tres objetos sencillos con los que tu hijo esté familiarizado. Por ejemplo, unas llaves, un peine, una pelota, o un cepillo de dientes.

◆ Muéstrale cada objeto y deja que lo sujete en su mano y lo toque. Háblale del tacto que tiene y nombra el objeto. Ahora ya puedes meterlo en una bolsa.

◆ Dile a tu pequeño que saque uno de los objetos.

◆ Pregúntale si sabe por el tacto qué objeto ha cogido.

◆ Pídele que meta su mano para sacar un objeto concreto que has nombrado. Tendrá que palpar los objetos hasta encontrar el que le has pedido.

◆ Si esta actividad resulta demasiado difícil para él, comienza con un objeto y gradualmente aumenta el número que tienes en la bolsa hasta llegar a tres.

 OBJETIVO DEL JUEGO:
RESOLVER PROBLEMAS

Pasa los juguetes

◆ Pon dos recipientes grandes (que podrían ser cubos de plástico) en lados opuestos de la habitación.

◆ Llena uno de los cubos con juguetes pequeños y deja el otro vacío.

◆ Ten a mano un tercer recipiente que sea ligero, como por ejemplo una cesta con asas.

◆ Enséñale a tu pequeña cómo pasar los juguetes del cubo lleno a la cesta vacía. Una vez que la cesta esté llena, muéstrale cómo sujetarla por las asas sin inclinarla. Ahora deberá atravesar la habitación con la cesta y meter los juguetes que ha cargado dentro del cubo vacío.

◆ Seguramente tendrá que hacer más de un viaje para vaciar el cubo lleno de juguetes. Cuando el recipiente quede vacío, dile: «¡Ya no queda nada!».

◆ Repite el juego. Cada vez que vacíe el recipiente que al principio estaba lleno, dile: «¡Ya no queda nada!».

◆ Después de haber repetido el juego varias veces, puedes comenzar a utilizar las palabras «vacío» y «lleno».

 OBJETIVO DEL JUEGO:
LOS CONCEPTOS DE VACÍO-LLENO

Formas similares

◆ Corta agujeros en la tapa de una caja o en la tapa plástica de una lata cilíndrica que tengan la misma forma que algunos objetos pequeños.

◆ Escoge cosas redondas, triangulares, o cuadradas como hilos de coser, rulos, dados o bloques, etc.

◆ Pon la tapa de la caja o lata delante de tu hijo para que la pueda tocar.

◆ Deja caer un objeto por el orificio que encaja con su forma. Ahora dale ese mismo objeto a tu pequeño y guía su mano hacia el agujero correcto.

◆ Repite esta actividad hasta que todos los objetos estén dentro de la caja.

◆ Deja que él haga experimentos por su cuenta, aunque debes ir con cuidado para que no se meta ningún objeto en la boca.

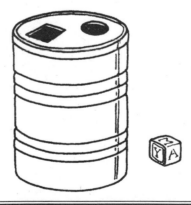

◆ OBJETIVO DEL JUEGO:
EMPAREJAR OBJETOS

Juguemos a las muñecas

◆ Generalmente, los niños de uno a dos años tienen dificultades para seguir instrucciones porque esto requiere que escuchen y hagan algo al mismo tiempo. Jugar con muñecas es una manera práctica de desarrollar esta capacidad.

◆ Dale a tu hija su muñeco favorito y pídele que identifique las partes de su cuerpo: «¿Dónde está la cabeza de la muñeca, sus orejas, sus piernas (patas), su barriguita?» y todas las otras partes del cuerpo que sean visibles.

◆ Propónle que haga cosas concretas con la muñeca como:

Peinarla.
Hacerle cosquillas en la barriga.
Lavarle la cara.
Lavarle los dientes.

◆ No sólo mejorará su capacidad de escuchar con atención, también practicará el comportamiento maternal que ha experimentado como hija tuya.

| | OBJETIVO DEL JUEGO: LA CAPACIDAD DE ESCUCHAR |

Encaja las piezas

◆ Tu hijo disfrutará tanto con este juego que querrá repetirlo una y otra vez.

◆ Reúne varios moldes de galletas. Intenta conseguir formas que tu pequeño pueda reconocer, como por ejemplo animales, estrellas, o figuras navideñas.

◆ Comienza marcando con un rotulador el perfil de un molde de galleta. Dale el que corresponde a la forma que perfilaste y enséñale cómo coincide el molde con el dibujo.

◆ Después de haber dibujado los perfiles de varios moldes de galleta y haberle enseñado cómo encajan, dale dos moldes y un solo perfil para ver si es capaz de escoger el molde que corresponde al perfil.

◆ Una vez que haya comprendido que se trata de escoger las dos cosas que son iguales, puedes añadir otro perfil dibujado y otro molde de galleta.

OBJETIVO DEL JUEGO:
EMPAREJAR OBJETOS

La masa mágica

◆ Mezcla una caja de harina de maíz con suficiente agua como para conseguir la consistencia de la masa de pan.

◆ Dile a tu hija: «Vamos a estar muy calladas para observar un poco de magia».

◆ Si amasas la harina de maíz se forma una masa redonda como una bola. En cambio, si la dejas reposar la masa se licúa.

◆ Canta esta canción al son de «Tengo una muñeca».

> *Amasa la harina de maíz así,*
> *y tomará forma de bola ante ti.*
> *Deja que vaya reposando así,*
> *mientras tú y yo miramos desde aquí.*
> *¡Qué curioso es, no crees, la masa*
> *de bola se va tornando líquida!*

OBJETIVO DEL JUEGO:
LA CAPACIDAD DE OBSERVACIÓN

Mira cómo comen los pájaros

◆ Es fascinante y divertido mirar cómo comen los pájaros; si vives cerca de una zona verde, intenta compartir esta experiencia con tu niño.

◆ Puedes hacer un comedero casero para pájaros utilizando una piña conífera: unta toda la superficie de la piña con mantequilla y después pásala por encima de una mezcla de alpiste y mijo para pájaros hasta que quede bien recubierta.

◆ Cuelga la piña cerca de una ventana desde donde podáis mirar bien.

◆ Explícale a tu hijo lo que suelen comer los pájaros y dónde buscan su comida.

◆ Te sorprenderá ver la cantidad de pájaros diferentes que vienen a picar a tu comedero. Tendrás muchas oportunidades de hablarle a tu pequeño sobre el color, tamaño, aspecto o trinos de los pájaros.

◆ OBJETIVO DEL JUEGO:
LA CAPACIDAD DE OBSERVACIÓN

Haz lo que yo haga

◆ Juega con tu niño a imitar.

◆ Realiza diferentes gestos y acciones y anímale para que te imite: saluda con las manos, mueve y menea tus dedos, golpea los pies contra el suelo y finge que estás durmiendo.

◆ Ahora deja que sea tu hijo quien tome la iniciativa. Cuando haga alguna cosa, imítale. Al principio quizás tengas que hacerle sugerencias; si es así, propónle movimientos fáciles como decir adiós con la mano o batir palmas.

◆ Puedes adaptar esta actividad para incluir tareas domésticas como quitar el polvo, pasar la aspiradora, barrer y tender la ropa.

OBJETIVO DEL JUEGO:
APRENDER A IMITAR

Abre estos botes

◆ Reúne varios botes de plástico cuyas tapas de rosca sean lo suficientemente pequeñas como para que un niño pueda desenroscarlos.

◆ Pon un juguete pequeño y colorido en cada uno de los botes y cierra la tapa.

◆ Dale un bote a tu hija para que desenrosque la tapa y saque el juguete.

◆ Tu hija no se cansará de jugar a este juego y quizás ella misma acabará metiendo algún juguete dentro de un bote y enroscando la tapa para que lo saques tú.

◆ OBJETIVO DEL JUEGO:
LA COORDINACIÓN

El juego de desenvolver

◆ Envuelve una pelota o un juguete en un papel de regalo de colores alegres.

◆ Enséñale el juguete envuelto a tu hijo y pregúntale: «¿Qué crees que hay dentro?».

◆ Ahora entrégale el juguete envuelto y deja que le quite el envoltorio.

◆ Es difícil para los niños de esta edad desenvolver las cosas, pero el esfuerzo le encantará a tu pequeño; quizás el sonido del papel que se rompe le haga más ilusión que el propio juguete.

◆ Reúne diferentes tipos de papel: de aluminio, de regalo y de periódico.

◆ Coge el juguete que tu hijo desenvolvió y vuelve a envolverlo con otro tipo de papel mientras él te observa.

◆ Deja que lo desenvuelva. Continúa hasta que se canse del juego.

OBJETIVO DEL JUEGO:
LA COORDINACIÓN

Vamos a pescar

◆ Quítale la tapa a una caja de cartón. Pon unas cuantas chapas metálicas de botellas de cerveza o refrescos dentro de la caja. Procura que sus colores sean llamativos.

◆ Ata un trozo de hilo resistente a un palo pequeño con las puntas redondeadas. Ata un imán al cabo de hilo que queda suelto.

◆ Enséñale a tu hijo cómo pescar en la caja, atrapando las chapas metálicas con el imán.

◆ Si has pintado las chapas para que sean de colores diferentes, puedes pedirle que atrape un color en concreto.

◆ Después de haber pescado todas las chapas de las botellas, cuenta las que tiene para que oiga los números y empieza de nuevo.

◆ OBJETIVO DEL JUEGO:
LA COORDINACIÓN

45

Las piezas del rompecabezas

◆ Si te han sobrado adornos de fiestas pasadas, como los de Navidad, Semana Santa, Reyes, un cumpleaños u otra celebración, ahora es el momento de aprovecharlos. Si no tienes, puedes usar tarjetas postales, que también están hechas de papel muy resistente.

◆ Corta cada adorno en dos trozos, como si fueran las piezas de un rompecabezas.

◆ Corta las piezas de manera que cada una tenga una forma diferente.

◆ Dale una a tu hija y mezcla todas las demás antes de esparcirlas por el suelo.

◆ Ahora háblale de la pieza que tiene en la mano; describe su color, su forma y otras cosas que la caracterizan.

◆ Ayúdale a encontrar la que le falta. Continúa jugando con otra pieza; ayúdale hasta que empiece a jugar por su cuenta. Cuando no tenga ninguna dificultad, puedes cortar cada decoración para que tenga cuatro piezas en vez de sólo dos.

 OBJETIVO DEL JUEGO:
MONTAR UN ROMPECABEZAS

Todo sobre mí

◆ Fotografía a tu niño a lo largo de todo un día mientras realiza actividades cotidianas.

◆ Encola cada fotografía sobre un papel de cartón y cúbrelas con papel transparente adhesivo, haz dos agujeros en cada hoja de papel y colócalas en unas anillas metálicas para hacer un libro.

◆ Mira las fotos con tu hijo y háblale de todas las cosas que hace durante el día: vestirse, comer, jugar, salir a pasear, bañarse y dormir.

◆ A lo largo del día, enséñale la foto que tiene que ver con la actividad que está realizando en esos momentos.

◆ Muy pronto verás que tu hijo coge el libro con placer para mirarlo por su cuenta.

◆ OBJETIVO DEL JUEGO:
LAS APTITUDES LINGÜÍSTICAS

Enciendo y apago la luz

◆ Los niños de uno a dos años pasan gran parte del día adquiriendo habilidades que les permiten ser más autónomos y suficientes.

◆ Una de las que más les gusta practicar es encender y apagar la luz.

◆ Si tienes en casa una luz que se puede apagar y encender con una cadenita, haz que la cadenita o el interruptor esté al alcance de tu hija.

◆ Asegúrate de que la instalación es segura y advierte a tu hija de que nunca debe tocar nada eléctrico con las manos mojadas.

◆ Imagínate el orgullo y la alegría de tu pequeña al ver que es capaz de apagar y encender la luz por su cuenta.

◆ OBJETIVO DEL JUEGO:
LA AUTONOMÍA

Brinca que te brinca

◆ Recita este poema usando tu mano para interpretarlo.

> *Brinca que te brinca,*
> *cinco conejitos salieron a jugar.*
>   (Haz «botar» los cinco dedos.)
> *Brinca que te brinca,*
> *un conejito decidió marchar.*
>   (Esconde la mano detrás de la espalda.)
> *Brinca que te brinca,*
> *cuatro conejitos salieron a jugar.*
>   (Haz «botar» cuatro dedos.)

◆ Repite el poema, pero cada vez reduce en uno el número de conejitos y de dedos.

◆ Al final, di:

> *Brinca que te brinca,*
> *¿dónde están los conejos de la finca?*

◆ Pregúntale a tu hijo adónde pueden haber ido los conejitos; si fueron a dormir la siesta, a buscar comida, o a hacer alguna otra cosa.

 OBJETIVO DEL JUEGO:
APRENDER A CONTAR

De dos en dos

◆ Con uno o dos años, los niños aún son demasiado pequeños como para poder contar o reconocer los números. De todas formas, ya son capaces de entender el concepto básico de «dos».

◆ Ayuda a tu niña a entender este concepto señalando todas las cosas que son pares.

Dos zapatos.
Dos calcetines.
Dos manos.
Dos pies.
Dos orejas.

◆ Puedes usar la palabra «dos» en tu conversación cada vez que venga al caso: «Mira esas dos flores».

◆ Dale cosas en pares: «Aquí tienes dos cucharas», o «Aquí tienes dos juguetes».

OBJETIVO DEL JUEGO:
APRENDER A CONTAR

Dentro de la bolsa

◆ Este juego desarrolla las capacidades de razonamiento de tu hijo. Cuando el niño escucha una palabra, hace una asociación de ideas y después encuentra el objeto.

◆ Consigue una bolsa de papel. Es mejor que sea grande.

◆ Pídele a tu hijo que te traiga cosas para meter dentro de la bolsa.

◆ Pide cada objeto por separado y deja que los meta uno a uno dentro de la bolsa. Cada vez que lo haga, dile «gracias».

◆ Elige objetos que tu pequeño pueda alcanzar y traerte sin ayuda, como su juguete favorito, algunas cucharas, una manta, una toalla, o su cepillo de dientes.

◆ OBJETIVO DEL JUEGO:
RESOLVER PROBLEMAS

¿En cuál de ellos está?

◆ Siéntate en el suelo con tu pequeño.

◆ Reúne tres recipientes pequeños (son ideales las cajitas o las mitades de huevos de plástico). Pon un juguete pequeño o un dado debajo de uno de los recipientes mientras tu hijo te observa.

◆ Mueve los recipientes lentamente en círculos, cambiando su posición mientras tu hijo está mirando lo que haces. Asegúrate de que te presta atención en este paso.

◆ Ahora pídele que escoja el recipiente donde cree que se esconde el juguetito o dado.

◆ Si tu hijo no entiende de qué trata el juego, levanta la cajita y muéstrale el juguete. Destapa las otras cajitas para que vea que no esconden ningún juguete.

◆ Juega a esto indicándole dónde se esconde el objeto hasta que veas que entiende el juego y pueda hacerlo sin tu ayuda.

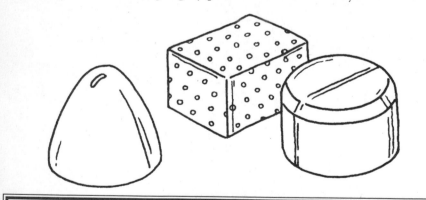

◆ OBJETIVO DEL JUEGO:
RESOLVER PROBLEMAS

¡A saltar el obstáculo!

◆ Pon un libro pequeño en el suelo.

◆ Enséñale a tu hijo a saltar por encima del libro.

◆ Canta la siguiente letra al son de «La pastora».

> *Por encima del libro*
> *yo salto y resalto.*
> *Por encima del libro*
> *mira cómo salto yo: ¡UYYY!*

◆ Sujeta a tu hijo por los brazos y canta la canción de nuevo. Cuando llegues a las palabras, «Mira cómo salto yo», álzalo por encima del libro. Puedes sustituir el «yo» por el nombre del niño.

◆ Repite este juego una y otra vez. Cuando ya sea capaz de saltar solo sin tu ayuda, sustituye el libro por otro objeto mayor o más alto.

◆ Intenta hacer otros movimientos como el de saltar a la pata coja, volar, nadar, o caminar hacia atrás.

OBJETIVO DEL JUEGO:
APRENDER A SALTAR

Sigue al líder

(En este juego puede participar toda la familia.)

◆ Haz un camino recto en el suelo con periódicos. Para que no se muevan de sitio, engánchalos con celo al suelo.

◆ Muéstrale el camino a tu hija y dile: «Éste es un camino por el que puedes andar».

◆ Enséñale cómo hacerlo utilizando ambos brazos para mantener el equilibrio.

◆ Pídele que te siga por el camino. Si no entiende lo que quieres decir, sujétale de la mano para guiarle. Si tienes que ayudarle, pide a otra persona que sea el líder.

◆ Si tu hija es capaz de hacerlo bien sin ayuda, puedes elaborar un camino más difícil que tenga curvas y que entre y salga de otras habitaciones.

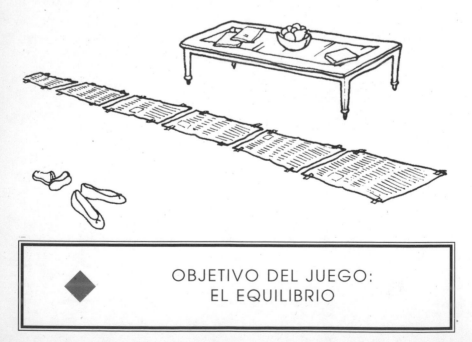

◆ OBJETIVO DEL JUEGO:
EL EQUILIBRIO

El juego de los sonidos

◆ Si tienes a mano varios botes de plástico para los rollos de película fotográfica, los puedes usar para meter cosas pequeñas que hagan sonidos diferentes cuando se agitan. Puedes introducir una o dos monedas en uno, en otro unos botones, en otro algodón, o palomitas de maíz o arena. CUIDADO: asegúrate de que la tapa está bien puesta y cerrada para que tu hija no pueda quitarla y coger lo que has puesto dentro.

◆ Enséñale cómo agitar los botes. Dale tiempo para que agite cada uno de ellos y escuche los diferentes sonidos.

◆ Coge dos de los botes, uno que haga un sonido fuerte y otro que haga uno suave. Sacude el del sonido suave mientras le susurras a tu pequeña: «Suave... shhh». Agita el otro envase y di en voz alta: «Fuerte».

◆ Pídele que agite primero el bote del sonido suave y después el bote del sonido fuerte.

◆ Cuando esté sujetándolos, se dará cuenta de que uno pesa más que el otro. Aunque es demasiado pequeña para entender el concepto, ya está adquiriendo conocimientos sobre la diferencia de peso de las cosas.

◆ Intenta usar las palabras «ruidoso» y «silencioso» en vez de «suave» y «fuerte».

 OBJETIVO DEL JUEGO:
DISTINGUIR LOS SONIDOS

Juguemos a girar la tabla

◆ Coge unas cuantas revistas viejas que tengas a mano y recorta fotos de cosas que le resulten familiares a tu hijo: animales, personas, juguetes, ropa, u otros objetos.

◆ Consigue una bandeja giratoria o una tabla de quesos que gire.

◆ Coloca las fotos en la bandeja y pégalas con celo para que no se desplacen. Ahora gírala.

◆ Mientras lo haces , di: «Uno, dos, tres, gira».

◆ Cuando la tabla se detenga, señala la foto que ha quedado ante tu hijo y dile cómo se llama y otras cosas que sepas sobre esta foto.

◆ Continúa jugando. Si la misma foto vuelve a quedar ante tu hijo, vuelve a hablarle sobre ella.

◆ Deja que tu niño gire la tabla esta vez.

◆ Este tipo de interacción no sólo aumentará su vocabulario, sino que también creará una relación más estrecha y rica entre vosotros.

◆ OBJETIVO DEL JUEGO:
LAS APTITUDES LINGÜÍSTICAS

El primer juego de lectura

◆ Recorta fotos o imágenes de catálogos y revistas. Después coge tarjetas de ficheros y encola una foto en cada ficha.

◆ Muéstrale una a tu hijo y háblale sobre ella. Descríbele el color, la forma, su función y otras cosas que sepas sobre ese objeto.

◆ Dale una ficha con una foto y nombra el objeto; por ejemplo: «zapato».

◆ Ahora pídele que te devuelva la ficha del zapato.

◆ Una vez que lo haya entendido, puedes introducir otra ficha. Así, cuando le pidas una foto en concreto, tendrá que elegir entre las dos que tiene.

◆ OBJETIVO DEL JUEGO:
LAS APTITUDES LINGÜÍSTICAS

Caminando sobre figuras

◆ Usa una cinta adhesiva resistente y ancha para crear figuras grandes en el suelo; podrías formar círculos, cuadrados, triángulos y hacer un zigzag.

◆ Muéstrale a tu hijo cómo caminar sobre la cinta adhesiva sin salirse de los bordes. Comienza con el círculo.

◆ Cógele de la mano y caminad juntos. Mientras vas caminando sobre el círculo, canta al son de «Vamos a contar mentiras»:

> *Caminamos sobre el círculo,*
> *caminamos sobre el círculo,*
> *tra la lara lara la*
> *tra la lara lara la,*
> *caminamos en redondo.*

◆ Ve a la siguiente figura y canta la canción de nuevo.

> *Caminamos sobre el cuadrado,*
> *caminamos sobre el cuadrado,*
> *tra la lara lara la,*
> *tra la lara lara la,*
> *caminamos en cuadrado.*

◆ Una vez que hayas caminado sobre todas las figuras, prueba otras maneras de moverte por encima de ellas: caminar hacia atrás, de lado y de puntillas. También puedes intentar saltar, gatear, o marchar sobre las formas.

OBJETIVO DEL JUEGO:
DISTINGUIR LAS FORMAS

Juegos con ositos de peluche

¿Dónde está el oso?

◆ Coge un cordón largo y átalo a la cintura del osito de peluche favorito de tu hija. Esconde el osito en un armario.

◆ Cierra la puerta del armario, pasa el cordón por debajo de esta puerta y por encima y alrededor de muebles que sean pesados y que estén dispuestos por toda la habitación.

◆ Cuando hayas acabado, dile a tu pequeña: «Vamos a buscar tu osito».

◆ Ayúdale a sostener el cordón hasta que llegue al osito.

◆ A tu hija seguramente le encantará este juego. Cuando juegues de nuevo, aprovecha para explicarle hacia dónde vais, como por ejemplo: «El cordón está detrás de la silla», o «El cordón está debajo de la alfombra».

◆ Cuando encuentre su osito de peluche, dale un abrazo muy fuerte al muñeco mientras le dices: «¡Ay, osito, no sabes la alegría que nos da encontrarte!».

OBJETIVO DEL JUEGO:
LA CONCENTRACIÓN

La cueva del osito

◆ Este juego con los dedos es muy entretenido, así que disfruta con tu pequeño mientras interpretas el cuento con la mano.

    Aquí hay una cueva.
      (Dobla los dedos sobre la palma de tu mano.)
    Dentro de la cueva está Don Osito.
      (Menea tu pulgar y después dóblalo por debajo de los otros dedos doblados.)
    Ay, por favor, Don Osito, ¿no podría salir un rato?
      (Golpea sobre la cueva con el dedo índice de la otra mano.)
    Oh, mira, ya sale para tomar un poco el aire.
      (Saca el pulgar de debajo de los dedos.)

◆ Repite el juego, pero esta vez deja que tu hijo interprete el cuento. Guía sus dedos para que consiga hacer los movimientos adecuados.

◆ **OBJETIVO DEL JUEGO:**
LAS APTITUDES LINGÜÍSTICAS

El oso cruzó la montaña

◆ Para este juego necesitarás un taburete o un banco para hacer de «montaña». Debería ser lo suficientemente pequeño como para que tu niño pueda inclinarse sobre él y llegar al otro lado.

◆ Siéntate delante del taburete con tu pequeño y su osito.

◆ Al otro lado del taburete coloca otro juguete suyo. Puede ser una pelota, por ejemplo.

◆ Empieza a cantar «El oso cruzó la montaña» al son de «Porque es un chico excelente». Mientras vas cantando, haz que el osito de peluche suba el taburete y descienda al otro lado.

> *El oso cruzó la montaña,*
> *el oso cruzó la montaña,*
> *el oso cruzó la montaña*
> *¿y qué es lo que vio?*

◆ Pregúntale: «¿Qué es lo que viste, osito?» y di: «¡Oh, viste la pelota!».

◆ Repite el juego; cambia el juguete que está al otro lado de la montaña. Cuando hagas la pregunta al osito, verás que tu hijo está ansioso por decirte lo que vio el oso al otro lado del taburete.

 OBJETIVO DEL JUEGO:
LAS APTITUDES LINGÜÍSTICAS

62

Suelta el osito

◆ Juega a esto cuando tu niña está en su cuna o parque.

◆ Dale su osito de peluche y muéstrale cómo soltarlo desde su cuna. Esto no le será difícil, pues a los niños de esta edad les encanta dejar caer las cosas.

◆ Pon una cesta grande al lado de su cuna.

◆ Ahora enséñale cómo soltar el osito para que caiga dentro de la cesta. Una vez que lo haya entendido, dile: «Uno, dos, suelta el osito».

◆ Anímala para que enceste el osito. Este juego requiere bastante habilidad por parte de tu pequeña, pues es el principio de la puntería; si consigue soltar el osito para que caiga dentro de la cesta, se sentirá muy satisfecha.

◆ OBJETIVO DEL JUEGO:
LA COORDINACIÓN ÓCULO-MANUAL

El juego de tocar y nombrar

◆ Para que tu niña vaya reforzando los conocimientos que tiene de su cuerpo, juega a tocar y nombrar las partes de su cuerpo.

◆ Recítale este poema:

> *¿Sabes tocarte la cabeza?*
> *¿Sabes tocarte la cabeza?*
> *Uno, dos tres y ahora al revés,*
> *¿la cabeza te sabes tocar?*

◆ Repite el poema, cada vez nombrando una parte diferente de su cuerpo.

◆ Una vez que estés segura de que tu hija conoce bien tres o cuatro partes de su cuerpo, dale su osito de peluche y pídele que toque las mismas partes del cuerpo del osito.

◆ Si es capaz de jugar con su osito, eso significa que realmente ha entendido y adquirido estos conceptos.

OBJETIVO DEL JUEGO:
CONOCER EL PROPIO CUERPO

El osito también juega

◆ Lleva al osito contigo cuando vayas a enseñarle alguna actividad nueva a tu niño.

◆ Dirígete al osito y a tu hijo cuando preguntes, por ejemplo: «Pablo, ¿quieres beber de este vaso?». «Osito, ¿quieres beber de este vaso?» Finge que das de beber al osito.

◆ Hay muchas cosas que puedes hacer con tu hijo y el osito. También puede hacerlas él por su cuenta con su muñeco.

Mecer al osito en tus brazos.
Darle un beso.
Sostenerlo en alto.
Hacerle cosquillas.
Pedirle al osito que diga adiós con su brazo.

OBJETIVO DEL JUEGO:
LA CAPACIDAD DE JUGAR

El tren del osito de peluche

◆ Busca varias cajas de cartón lo bastante grandes para meter un muñeco de peluche.

◆ Únelas con cinta adhesiva y pasa una cuerda por la primera caja para que se pueda tirar de este trenecito.

◆ Delante de tu hija pregúntale al osito de peluche si quiere ir de paseo en tren.

◆ Pídele a tu hija que meta al osito dentro de un «vagón» (una de las cajas). Pregúntale si quiere que algún otro muñeco suyo vaya de paseo.

◆ Primero tira tú de la cuerda del tren mientras tu hija te observa para marcar el ritmo del poema. Una vez que le haya quedado claro, dale la cuerda para que tire del tren mientras recitas este poema.

> *El tren del osito*
> *hace chu, chu, chú,*
> *el tren del osito*
> *hace chu, chu, chú.*
> *Ahora va más rápido,*
> (habla y tira de la cuerda más rápidamente)
> *ahora va más despacio,*
> (habla y tira de la cuerda más lentamente)
> *y ahora ha llegado a la estación.*
> (Habla muy lentamente.)
> *¡Todo el mundo a bajar!*

◆ OBJETIVO DEL JUEGO:
LA COORDINACIÓN

Bocadillos en forma de osito

◆ Invita a tu hijo y a su osito a comer.

◆ Si tienes un molde de galleta en forma de corazón, recorta rebanadas de pan integral blando con él. Tu pequeño puede ayudarte
si tienes este molde, pero si debes dar forma al pan con un cuchillo, no dejes que lo toque.

◆ Una vez que tengas varias rebanadas en forma de corazón, córta-
les la punta para que el pan parezca la cara de un osito.

◆ Unta el osito con mantequilla.

◆ Haz la cara con pasas, pipas de girasol y otros alimentos; en esta tarea sí puede ayudarte tu hijo.

◆ OBJETIVO DEL JUEGO:
LA COORDINACIÓN

Escucha, osito

◆ Dile a tu pequeña que vas a jugar con su osito. El juego consistirá en que el muñeco tendrá que hacer todo lo que tú digas.

◆ Recita este poema.

> *Osito, sube los brazos, súbelos bien estirados,*
> *osito, baja los brazos, bájalos a tus lados.*
> *Osito, gira en redondo,*
> *osito, toca el suelo.*
> *Osito, tócate la barriga,*
> *uno, dos, tres.*

◆ Mientras vas recitando, haz los movimientos que indica el poema y pídele a tu hija que también se lo pida al osito.

OBJETIVO DEL JUEGO:
LA CAPACIDAD DE ESCUCHAR

Juguemos a subir la torre

◆ Juega con tu hijo y después enséñale a hacerlo con su osito.

◆ Sienta a tu niño en el regazo, sujetando un brazo suyo en alto. Mientras recitas este poema, camina los dedos de tu mano libre a lo largo de su brazo elevado.

> *Voy subiendo la torre,*
> *ya voy llegando al campanario,*
> *tilín, tilán, tilín, tilán,*
> *así tocan las campanas a diario.*

◆ Cuando digas «tilín, tilán», tira de su manita con suavidad como si estuvieras tocando una campana.

◆ Toca la campana de diversas maneras. Mece su mano para adelante o para atrás, o estira sólo un dedo en vez de tirar de toda su mano. También puedes abrirlas y cerrarlas.

◆ Repite el juego con un osito de peluche u otro muñeco que le guste mucho a tu hijo. Cuando acabes, deja que juegue él; le divertirá mucho interpretar este juego con su osito.

OBJETIVO DEL JUEGO:
DIVERTIRSE

Diviértete con tu osito

◆ Dale a tu niña su oso de peluche favorito u otro muñeco que le guste mucho.

◆ Pídele que lo siente en una silla. Cuando lo haga correctamente, elógiala. Pídele que siente al osito en diferentes sitios: en el suelo, en una mesa, una librería, o una cómoda.

◆ Recita este poema mientras interpretas la letra.

> *Osito, osito,*
> *te siento en la silla.*
> *osito, osito,*
> *te beso en la mejilla.*

◆ Repite el poema, pero sustituye la palabra «silla» por otra. No importa que no rime; lo importante es que tu hija adquiera y refuerce su vocabulario.

**OBJETIVO DEL JUEGO:
LAS APTITUDES LINGÜÍSTICAS**

Columpiemos al osito

◆ Pasa un cordón o una cinta larga por debajo de los brazos del osi-to de peluche y anuda la cita por detrás.

◆ Ata el otro cabo de la cinta o del cordón a una rama de árbol de manera que el osito quede suspendido en el aire a medio metro del suelo.

◆ Muéstrale a tu niño cómo empujar el osito con suavidad para que se balancee como si se columpiara.

◆ Además de disfrutar con la acción de empujar, los niños de uno a dos años también van comprendiendo que es su empujón lo que causa que el osito se mueva.

◆ Puedes inventarte un poema sobre los columpios para recitarle a tu hijo mientras va empujando su osito.

◆ OBJETIVO DEL JUEGO:
EL CONCEPTO DE CAUSA-EFECTO

Alto y bajo

◆ Dale a tu niño su osito de peluche y dile que lo alce todo lo que pueda.

◆ Ahora dile que lo baje hasta que toque el suelo. Di «alto» y «bajo» señalando lo que estás diciendo para que entienda estas palabras.

◆ Canta «Quisiera ser tan alta» mientras bailas por toda la habitación y pídele a tu pequeño que coja a su osito en brazos y que baile también. Dile que lo alce hacia arriba cuando digas la palabra «alta». Canta la segunda estrofa para que baje su osito hasta el suelo cuando digas «baja».

> *Quisiera ser tan alta como la luna,*
> *¡ay!, ¡ay! como la luna, como la luna.*
> *Para ver los soldados de Cataluña,*
> *¡ay!, ¡ay! de Cataluña, de Cataluña.*
>
> *Quisiera ser tan baja como un champiñón,*
> *¡ay!, ¡ay! como un champiñón, como un champiñón.*
> *Para tocar el suelo de este rincón,*
> *¡ay!, ¡ay! de este rincón, de este rincón.*

◆ Puedes preparar dos fichas, una de ellas con la imagen de la luna y la otra con la imagen de un champiñón. La segunda ronda de esta canción podría incluir el uso de estas dos imágenes, aparte de la repetición de los conceptos «alto» y «bajo».

◆ OBJETIVO DEL JUEGO:
EL SIGNIFICADO DE «ALTO» Y «BAJO»

La magia del osito de peluche

◆ Canta una de las canciones favoritas de tu pequeña: «La pastora», «En la granja de mi tío», u otras que le cantes habitualmente.

◆ Consigue un piano de juguete o créale uno imaginario. Pregúntale si su osito sabe tocar el piano.

◆ Sienta a su osito delante del piano y mueve sus brazos por las teclas.

◆ Pregúntale a tu pequeña: «¿Qué canción quieres que toque tu osito?». Cuando te responda, dile al osito: «Osito, ¿podrías tocar (el nombre de la canción), por favor?».

◆ Mueve los brazos del osito por encima de las teclas otra vez.

◆ Muy pronto verás a tu hija repitiéndolo con su osito por su propia cuenta.

◆ OBJETIVO DEL JUEGO:
LA CAPACIDAD DE JUGAR

El corro de la patata

◆ Juega el juego de «El corro de la patata» con tu hijo.

◆ Dile: «Vamos a jugar con tu osito de peluche».

◆ Muéstrale cómo hacer que el osito vaya bailoteando en círculos y al decir los últimos versos de «¡Achupé, achupé,/ sentadito me quedé!», cae con él al suelo de tal manera que os quedéis sentados.

◆ Ahora entrégale el osito y observa si es capaz de repetirlo con su osito mientras tú cantas.

◆ Dispón varios muñecos más en forma de círculo. Vuelve a hacerlo con un muñeco diferente cada vez.

OBJETIVO DEL JUEGO:
LA CAPACIDAD DE JUGAR

Osito, osito

◆ Recita este poema cuando estés jugando tranquilamente con tu niña y su osito. Interpreta los gestos que indica el poema.

Osito, osito, gírate dando una vuelta entera.
Osito, osito, toca el suelo con la pata delantera.
Osito, osito, lee las noticias.
Osito, osito, tus pies acaricias.
Osito, osito, sube las escaleras.
Osito, osito, cómete unas peras.
Osito, osito, guarda tus coches.
Osito, osito, di «buenas noches».

◆ OBJETIVO DEL JUEGO:
SEGUIR INSTRUCCIONES

¿Dónde está el osito?

◆ Necesitarás dos ositos u otro par de muñecos de peluche y dos cajas de cartón abiertas.

◆ Siéntate en el suelo con tu hijo y muéstrale los diferentes sitios donde puede poner su osito.

◆ Cada vez que le indiques dónde puede ponerlo, haz el movimiento de colocar el osito con él; de esta manera te aseguras de que entiende lo que le estás diciendo.

◆ Canta esta canción al son de «¿Dónde están las llaves?».

> *Pon tu oso en la caja,*
> *en la caja de cartón,*
> *pon tu oso en la caja,*
> *en la caja de cartón, pim, pom.*
>
> *Pon el oso debajo*
> *de la caja, de la caja,*
> *pon tu oso debajo*
> *de la caja de cartón, pim, pom.*

◆ Prueba otras variaciones de esta canción.

> *Pon el oso encima de la caja, de la caja...*
> *Pon tu oso al lado de la caja, de la caja...*
> *Pon tu oso detrás de la caja, de la caja...*
> *Pon tu oso delante de la caja, de la caja...*
> *Sienta tu oso dentro de la caja, de la caja...*
> *Tumba tu oso dentro de la caja, de la caja...*

OBJETIVO DEL JUEGO:
SEGUIR INSTRUCCIONES

Un almuerzo con mi osito

◆ Dile a tu pequeña que invite a su osito a comer con vosotras este día y que te diga si el osito ha aceptado venir.

◆ Cuando pongas la mesa para el osito, explica lo que estás haciendo: «Estoy poniendo la mesa para nosotros. Aquí está el plato del osito, aquí está el vaso del osito», etc.

◆ Anímale para que le haga preguntas al osito: «¿Puedes preguntarle al osito si le gusta el queso?». Esto le dará pistas a tu hija sobre el tipo de preguntas que puede hacer. Después de que haya hecho alguna, pregúntale: «¿Qué te dijo el osito?».

◆ OBJETIVO DEL JUEGO:
LA CONDUCTA SOCIAL

El osito se pone al volante

◆ Pídele a tu hijo que «conduzca un coche». Enséñale cómo debe mover los brazos de izquierda a derecha cuando gire el volante imaginario.

◆ Camina por toda la habitación fingiendo que estás conduciendo un coche.

◆ Una vez que tu pequeño haya entendido de qué se trata, sugiérele que deje conducir a su osito.

◆ Enséñale cómo mover los brazos del osito.

◆ Para que aún sea más divertido, camina por la habitación fingiendo conducir y haciendo ruidos de coche, tocando la bocina, apretando el freno cuando paras y arrancando.

◆ Una vez que tu hijo sepa jugar bien, puedes ser el policía de tráfico y marcar con un silbato cuándo arranca y cuándo para tu hijo. Puedes decirle: «El semáforo está verde, arranca», o «El semáforo está rojo, para» señalando con unas tarjetas de estos colores.

◆ OBJETIVO DEL JUEGO:
LA IMAGINACIÓN

Tres osos

◆ Inventa un cuento sencillo sobre tres osos. El cuento tradicional es demasiado largo y complicado para los niños de uno a dos años.

◆ Aquí tienes un cuento que te podría servir:

Éranse una vez tres ositos: uno (*alza un dedo*), dos (*alza dos dedos*) y tres (*alza tres dedos*). Iban a casa de Ana (*sustituye este nombre por el de tu hijo o hija*) para preguntar si el osito de Ana podía salir a jugar con ellos. Ana y el osito invitaron a los tres osos a comer galletas con leche y después los cinco se pusieron a jugar con los bloques.

◆ Después de contarlo, pon en una mesa tres vasos y tres galletas.

◆ Repite el cuento, pero esta vez interpreta lo que dice. Si no tienes tres ositos, usa cualquier otro muñeco de peluche o juguete que tengas a mano.

◆ Invita a los osos a comer galletas con leche. Finge que cada uno de ellos bebe leche y come su galleta.

◆ Saca los bloques y finge que todos estáis jugando con ellos.

OBJETIVO DEL JUEGO:
LA CAPACIDAD DE ESCUCHAR

Gira, gira y para

◆ Juega con tu hijo y después incorpora su osito de peluche al juego.

◆ Ponte ante él y sujeta sus manos entre las tuyas. Camina lentamente dando vueltas mientras recitas este poema.

> *Giramos y giramos dando vueltas,*
> *giramos y giramos dando vueltas,*
> *giramos y giramos dando vueltas*
> *hasta que girando y girando* PARAMOS.

◆ Cuando digas: «PARAMOS», ¡no muevas ni una pestaña! A los niños de uno a dos años les emociona este juego e insisten en jugarlo una y otra vez.

◆ Cuando lo repitas, gira en sentido contrario y un poco más deprisa.

◆ Repite este juego hasta que giréis con mucha rapidez.

◆ Ahora dale su osito de peluche. Observa si es capaz de desarrollar este juego solo con su osito. Si no lo consigue, hazle una demostración.

OBJETIVO DEL JUEGO:
LA CAPACIDAD DE ESCUCHAR

Cinco ositos

◆ Recita este poema, levantando un dedo cuando comiences. Cada
vez que intervenga un oso, levanta otro dedo.

Un osito de peluche tenía fiebre y tos;
pasó otro osito y entonces ya eran dos.
Dos ositos jugaban a caminar al revés;
vino otro osito y entonces ya eran tres.
Tres ositos fueron de visita al teatro;
vino otro osito y entonces ya eran cuatro.
Cuatro ositos fueron a buscar miel con ahínco;
por la colmena pasó otro osito y entonces ya eran cinco.
Las abejas, enfadadas, zumbando salieron,
y los pobres ositos corriendo se fueron.

◆ Cuando llegues al último verso, esconde tu mano detrás de la espalda.

OBJETIVO DEL JUEGO:
APRENDER A CONTAR

El osito saltarín

◆ Estira una toalla grande o una manta en el suelo.

◆ Coloca el osito de tu hija en el centro de la toalla y dile a tu niña que el osito va a saltar.

◆ Pídele que coja un extremo de la toalla mientras tú sujetas el otro extremo. Cuando digas: «¡Uno, dos, úpala!», levanta la toalla hacia arriba.

◆ El objetivo es mantener el osito en la toalla sin que se caiga.

◆ Después de unas cuantas veces, alza la toalla con más rapidez, sacudiéndola un poco para que el oso salte por el aire y aterrice en la toalla.

◆ Tirar el osito hacia arriba y cogerlo de nuevo en la toalla es un juego que necesita mucha coordinación de la vista y las manos y, además, es muy divertido para los pequeños.

OBJETIVO DEL JUEGO:
LA COORDINACIÓN ÓCULO-MANUAL

El osito sobre el tronco

◆ Enseña a tu niño a jugar a esto con su osito.

◆ Pon un muñeco de peluche en tu regazo y el osito en el regazo de tu hijo. Haz que el muñeco bote sobre tus rodillas.

> *Un osito que perdió a su madre estaba*
> *sentado en un tronco.*
> *El pobre osito al sentirse tan solo*
> *lloró hasta quedarse ronco.*
> *De tanto llorar sus ojos estaban rojos,*
> *y grandes lágrimas le cegaron los ojos,*
> *de tal manera que al agua cayó...*
> *pero vino su madre y le salvó.*

◆ Cuando digas: «de tal manera que al agua cayó», separa tus piernas, suelta el muñeco y deja que caiga al suelo. Ponlo de nuevo en tu regazo cuando digas la última frase.

◆ ¡Prepárate! Tu hijo querrá pasar horas jugando a esto.

◆ OBJETIVO DEL JUEGO:
LAS APTITUDES LINGÜÍSTICAS

El osito-trompo

◆ Coge dos ositos u otros muñecos de peluche, uno para ti y otro para tu hija.

◆ Sujeta el osito contra tu cuerpo bien apretado y gira sobre ti misma muy rápidamente mientras exclamas: «¡fiu!».

◆ Dile a tu pequeña que gire sobre sí misma mientras sujeta a su osito contra su pecho.

◆ Recita este poema e interprétalo con el osito, e insta a tu hija a hacer lo mismo que tú.

Soy un trompo, soy un trompo,
y giro y giro hasta que paro.
Soy un trompo y giro lentamente,
soy un trompo y giro rápidamente.
De tanto girar, caigo al suelo
con estruendo ¡PAM!

OBJETIVO DEL JUEGO:
DIVERTIRSE

Juegos en la cocina

El juego de rasgar papel

◆ A los niños pequeños les encanta rasgar, desgarrar y romper cosas. Éste es un buen juego para hacerlo en la cocina, ya que puedes supervisar a tu hija mientras se divierte con esta actividad.

◆ Coge unas cuantas revistas viejas, papel higiénico, de regalo y de aluminio. Cada uno de ellos proporciona una experiencia diferente y muy interesante porque las texturas y los sonidos de cada uno de los papeles varía al rasgarse.

◆ Enséñale a desgarrar el papel y meter todos los trozos en una caja. Como a los niños de esta edad les encanta meterse cosas en la boca, vigila a tu pequeña.

◆ Haz una bola con uno de los papeles y lánzala para ver lo lejos que llega. Muéstrale cómo hacer una bola de papel. Si no lo consigue, ayúdale para que el papel quede bien apretado y dásela para que la tire.

OBJETIVO DEL JUEGO:
LA COORDINACIÓN

Tira de los cordones

◆ A los niños pequeños les gusta jugar con unos cuantos muñecos y juguetes mientras están sentados en sus silla altas. Parte del juego evidentemente consiste en dejar caer los juguetes desde esta altura.

◆ Ata un cordón a cada uno de los juguetes con los que se distrae tu hijo en su silla alta. Pasa el otro cabo del cordón por debajo, o átalo directamente a su bandeja. El cordón sirve para que los juguetes no caigan al suelo. CUIDADO: asegúrate de que el cordón no es demasiado largo para que tu pequeño no se pueda enredar y no corra ningún peligro de asfixiarse.

◆ A tu niño le gustará el reto de estirar de los cordones para recuperar sus juguetes.

◆ OBJETIVO DEL JUEGO:
RESOLVER PROBLEMAS

Diviértete con los cereales

◆ Sienta a tu hijo en su silla alta.

◆ Si tienes un cilindro de plástico o un biberón pequeño con el cuello estrecho, pon un poco de cereal dentro. Hay cereales de desayuno redondos o en forma de arito; son los más apropiados para este juego.

◆ Tu hijo se dará cuenta de que con los dedos no llega hasta el cereal y acabará deduciendo que tiene que inclinar el biberón para sacarlo.

◆ Una vez que haya resuelto este problema y tenga el cereal en su bandeja, el siguiente paso es que introduzca cada aro de cereal dentro del cilindro de plástico o del biberón y que después vuelva a verter el contenido en la bandeja.

◆ También se divertirá sacando el cereal y poniéndoselo en la boca o en la tuya si estás jugando con él.

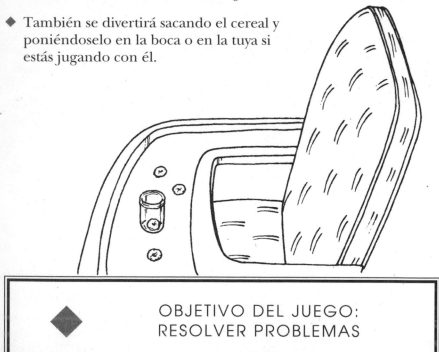

◆ OBJETIVO DEL JUEGO:
RESOLVER PROBLEMAS

Diviértete con el arroz

◆ Una actividad que les encanta a los niños es explorar la textura del arroz; esto les ayuda a reconocer el tacto, olor y sabor de una cosa, o de un alimento.

◆ Hierve un poco de arroz blanco o integral. Luego, deja que se enfríe.

◆ Pon el arroz en un cuenco de plástico.

◆ Dale una cuchara a tu hija y unos vasitos de plástico para que los llene de arroz.

◆ Enséñale cómo llenar los vasitos, cómo coger los granos de arroz de uno en uno —una actividad fenomenal para mejorar su coordinación y ensayar el movimiento de pinza— y deja que pruebe el arroz.

◆ Cuando sea un poco mayor, podrá poner los vasitos llenos de arroz boca abajo sobre un plato y después quitar el vaso para hacer flanes de arroz. Con moldes de galleta podrá jugar a darle otras formas divertidas, e incluso podría intentar comer el arroz con palillos, lo cual supondría todo un reto para ella.

OBJETIVO DEL JUEGO:
DISTINGUIR LAS TEXTURAS

¿Qué hay en el cajón?

◆ La curiosidad es básica en el desarrollo de las aptitudes de los niños. Desde sus primeras percepciones, tu hijo querrá explorar y experimentar el entorno a través de cada uno de sus sentidos.

◆ Pon muchos objetos diferentes en un cajón de la cocina que se pueda abrir fácilmente. Cazos pequeños, cucharas de madera, envases de plástico y unas cuantas tapas pequeñas de metal son juguetes fantásticos para los niños.

◆ Puedes ir variando los objetos que metes en el cajón con tal de que te asegures que no tienen ningún filo y no representan peligro para tu hijo.

◆ Deja el cajón un poco abierto mientras estás en la cocina y tendrás un compañero feliz de la vida al poder saciar su curiosidad explorando su cajón particular.

◆ Una vez que los objetos ya no tengan ningún misterio o interés para tu pequeño, cambia el contenido del cajón. Quizás le divierta abrirlo y cerrarlo; ten cuidado de que no se pille los dedos.

OBJETIVO DEL JUEGO:
LA CAPACIDAD DE EXPLORAR

Bloques de papel

◆ Necesitarás unas bolsas de papel y muchos periódicos.

◆ Pídele a tu hija que arrugue el papel de diario para hacer bolas con él y llenar las bolsas de papel.

◆ Cuando estén llenas, ciérralas bien con cinta adhesiva o con un cordón como si fueran paquetes.

◆ Estas bolsas se han convertido ahora en bloques de construcción muy ligeros y fáciles de mover para tu pequeña.

◆ Deja que experimente y enséñale cosas que puede hacer con ellos.

Puede apilarlos.
Puede hacer una hilera.
Puede ponerlos en forma de círculo.
Puede lanzarlos.

◆ Puedes dibujar una cara en cada una de las bolsas y convertirlas en títeres.

OBJETIVO DEL JUEGO:
LA CREATIVIDAD

Mira cómo gira el plato

◆ Para este juego necesitarás un plato giratorio.

◆ A los niños les encantan estos platos y mirar cómo giran.

◆ Pon algo pequeño encima del plato giratorio y dale un poco de impulso para que gire. Observa lo que ocurre con el objeto; cuanto más impulso le des, más probable es que el objeto salga disparado.

◆ Esta vez sujeta un juguete pequeño al plato giratorio con un trozo de cinta adhesiva. Dile a tu niño que el juguete se va de paseo.

◆ Cada vez que gires el plato, di:

> *Gira y gira dando vueltas,*
> *dónde se para nadie lo sabe.*

◆ Cada vez que deje de girar, grita: «¡Hurra!».

**OBJETIVO DEL JUEGO:
LAS APTITUDES LINGÜÍSTICAS**

El juego de dentro y fuera

◆ Consigue una caja de cartón que tenga compartimentos individuales. Las copas o vasos van a veces en este tipo de cajas.

◆ Guarda tubos de papel de cocina y botellas de plástico.

◆ Dáselos a tu hijo para que los introduzca en cada una de las sepa-
raciones de la caja y para que los saque cuando acabe.

◆ Los niños de esta edad pasarán ratos muy divertidos entretenién-
dose con esta actividad.

◆ Coge una botella de plástico y di en voz alta: «Voy a meter la botella dentro de la caja». Ahora sácala mientras dices: «Voy a sacar
la botella fuera de la caja». Pídele a tu pequeño que meta una botella «dentro» de la caja y que la saque «fuera» de la caja para que
vaya entendiendo lo que significan estas palabras.

◆ OBJETIVO DEL JUEGO:
LA COORDINACIÓN ÓCULO-MANUAL

Juega con tu muñeca

◆ Éste es un juego maravilloso para llevar a cabo mientras tu hija está esperando su comida.

◆ Dale su muñeca o muñeco de peluche favorito. Pregúntale: «¿Tiene hambre tu (el nombre de su muñeca)?». «¿Tiene sueño?»

◆ Pídele que haga las siguientes cosas con su muñeca.

«Dale un beso a tu muñeca.»
«Abraza a tu bebé.»
«Mece a tu bebé.»
«Dale un poco de leche a tu bebé.»
«¿Por qué no bañas a tu bebé?»
«Vamos a cambiarle el pañal a tu bebé.»

◆ Todas estas sugerencias provocarán una respuesta de tu hija. A medida que vaya entrando en el juego y comience a divertirse con tus sugerencias, su capacidad de escuchar con atención también se desarrollará.

OBJETIVO DEL JUEGO: SEGUIR INSTRUCCIONES

¿Dónde estás?

◆ Juega a esto con tu hijo mientras está sentado en su silla alta.

◆ Finge que lo estás buscando y no lo encuentras. Pregunta: «¿Dónde está (el nombre de tu hijo)?».

◆ Cuando preguntes, ve a la cocina y mira en todos lados. Busca en tu bolsillo, en un cajón, debajo de la mesa, detrás de su silla alta y en cualquier sitio que se te ocurra.

◆ Después de haber buscado afanosamente durante un minuto, finge que de repente ves a tu hijo y actúa como si te sorprendieras: «¡Ay, mira, si estás aquí!».

◆ Ahora dale un abrazo y un beso muy fuertes.

◆ OBJETIVO DEL JUEGO:
LAS APTITUDES LINGÜÍSTICAS

¡A barrer el suelo!

◆ El hecho de ayudar a tu pequeño a imitar lo que ve en su entorno es una forma de prepararle para que pueda realizar juegos más complicados cuando sea un poco mayor.

◆ Busca imágenes de tareas o actividades que realizas en la cocina: lavar platos, comer, barrer, cocinar, etc.

◆ Muéstrale estas imágenes a tu hijo y descríbele cada una de ellas en términos muy sencillos.

◆ Ahora coge una de las imágenes y hazle preguntas sobre la actividad que refleja. Si su vocabulario es muy limitado, pregúntale cosas que pueda contestar con una sola palabra: «¿Quién está barriendo el suelo? ¿Mamá?».

◆ Después de que hayáis hablado un rato de la imagen, haz la tarea que habéis estado mirando, «Ahora mamá va a barrer el suelo». Pídele a tu pequeño que te ayude a barrer.

◆ OBJETIVO DEL JUEGO:
APRENDER A IMITAR

Tres patitos

(A los niños de uno a dos años les encanta este juego con los dedos.)

◆ Interpreta este cuento con los dedos de una mano.

Tres patitos salieron a jugar (levanta tres dedos)
y bajo un puente se fueron a nadar.
     (Mueve tus dedos como si estuvieran nadando.)
La mamá pato dijo: «Cuac, cuac, cuac» con su pico anaranjado,
     (haz el pico de un pato con tu mano)
y dos patitos regresaron a su lado.

Dos patitos salieron a jugar (levanta dos dedos)
y bajo un puente se fueron a nadar.
     (Mueve dos dedos como si estuvieran nadando.)
El papá pato dijo: «Cuac, cuac, cuac» con su pico anaranjado,
     (haz el pico de un pato con tu mano)
y un patito regresó a su lado.

Un patito salió a jugar (levanta un dedo)
y bajo un puente se fue a nadar.
     (Mueve un dedo como si estuviera nadando.)
Mamá y papá se preguntaron: «¿Dónde están nuestros patitos?»
     (haz un pico de pato con la mano),
«Echamos de menos a nuestros hijitos». (Di esta frase con voz triste.)
Al oír esto, los tres patitos que se habían marchado
se pusieron a nadar y regresaron a su lado.
     (Mueve tres dedos como si estuvieran nadando.)

◆ Repite el cuento y anima a tu hija para que imite los gestos de tu mano.

OBJETIVO DEL JUEGO:
APRENDER A IMITAR

Diviértete con la pasta

◆ Juega con pasta seca; es muy útil para desarrollar la coordinación de tu hija al mismo tiempo que se divierte.

◆ Puedes pegar la pasta a una cartulina con pegamento, o pasarla por un hilo, o pintarla; evidentemente, también se puede comer (una vez hervida).

◆ Puedes conseguir pasta con formas, tamaños y colores diferentes para jugar con tu niña a clasificarla en tipos y colores, a contarla y a disponerla en formas geométricas.

◆ Primero dale pasta con agujeros muy grandes para que pase cada pieza por un cordón de zapatos. A medida que vaya mejorando su coordinación óculo-manual le podrás ir dando pasta más pequeña para que la hile en un cordón más fino.

◆ Si tienes colorantes para alimentos en tu cocina, deja que tu hija los use (bajo tu supervisión) para pintar pasta pequeña. Puedes hacer collares y pulseras con estos tesoros.

◆ Puedes pintar la pasta grande con acuarelas.

 OBJETIVO DEL JUEGO:
DISTINGUIR LAS FORMAS

El juego de olisquear

◆ Llama la atención de tu hijo sobre los olores cuando salgáis de paseo o cuando tengas algo en el horno.

◆ Siéntalo en su silla alta y tráele diferentes alimentos para que los huela.

◆ Muéstrale un limón y dile: «Esto es un limón». Olisquéalo mientras tu hijo te observa y di: «Mmm, qué bien huele».

◆ Sostén un limón bajo su nariz y pídele que lo huela.

◆ Puedes hacer lo mismo con una naranja, una manzana, un melón y una pera. Una vez que haya olido cada fruta por separado, puedes proponerle que cierre los ojos y pedirle que identifique cada fruta poniéndosela bajo la nariz. Este juego es complicado pero muy divertido para los pequeños.

◆ OBJETIVO DEL JUEGO:
DISTINGUIR LOS OLORES

Calabazas

◆ Este juego debería hacerse en el suelo.

◆ Estírate en el suelo con las rodillas dobladas.

◆ Sienta a tu hija sobre tus rodillas con sus pies sobre tus muslos. Coge sus manos para mayor seguridad y di: «Voy a ir al mercado a comprar patatas, maíz, guisantes y frijoles». Nombra todas las verduras que sueles comer y preparar en casa.

◆ Al final de tu lista de compras, di con voz fuerte: «Que me den CA-LABAZAS». Al mismo tiempo, estira tus piernas para que tu niña bote hacia abajo encima de ellas.

OBJETIVO DEL JUEGO:
LAS APTITUDES LINGÜÍSTICAS

La batería de la cocina

◆ Saca todos los cazos, cazuelas, cuencos de plástico, cucharas de madera y de metal y demás utensilios que tengas a mano y que tu hijo pueda usar para hacer música sin correr ningún peligro.

◆ Siéntate en el suelo con él y comienza a aporrear las cucharas contra los cazos. Golpea las ollas, las cucharas y las tapas para oír los diferentes sonidos de las cosas.

◆ Dale una cuchara y anímale a que te imite.

◆ Canta al son de «Arroyo claro»:

Yo me divierto
con tapas y ollas,
aporreándolas juntas
hago música.

OBJETIVO DEL JUEGO:
DIVERTIRSE

El juego de emparejar objetos

◆ Dale tres objetos idénticos a tu hija. Comienza con tres cucharas de café.

◆ Coge cada cuchara, dile cómo se llama y finge que estás comiendo algo.

◆ Deja que sujete cada cuchara en su mano para familiarizarse con su forma y textura.

◆ Sustituye una de las cucharas por un tenedor. Pídele que te dé una cuchara. Ahora pídele otra cuchara.

◆ Coge el tenedor y dile cómo se llama. Finge que estás comiendo algo. Deja que tu hija sujete el tenedor y se familiarice con su forma y textura.

◆ Pon dos cucharas y un tenedor ante ella. Pídele que te dé el tenedor. Elógiala con gran entusiasmo cuando escoja el cubierto correcto.

OBJETIVO DEL JUEGO:
COSAS IGUALES Y DIFERENTES

El juego de las pinzas de cocina

◆ Reúne unos cuantos juguetes pequeños y mételos en una caja o en un cuenco de plástico grande.

◆ Dale unas pinzas de cocina a tu pequeño y enséñale cómo coger objetos con ellas.

◆ Una vez que sepa manipularlas bien y recoja los juguetes con ellas, puedes enseñarle cómo pasar los juguetes de una caja a otra.

◆ Pon una bandeja de moldes para magdalenas al lado de la caja. Enséñale cómo meter un juguete dentro de uno de los moldes para magdalenas. Esto precisa una gran coordinación por su parte.

◆ Si quieres complicar el juego, coge una bandeja de cubitos de hielo y pídele que meta un juguete pequeñito dentro de uno de los moldes para los cubitos.

◆ Los juegos de este tipo son excelentes para introducir a los pequeños en el mundo de los números y para enseñarles a contar. Aprovecha la ocasión para enumerar los juguetes cuando estén dentro de los moldes o de la bandeja de cubitos.

OBJETIVO DEL JUEGO:
LA COORDINACIÓN

Experimentos con plastilina

◆ La cocina es un sitio ideal para hacer experimentos con plastilina.

◆ Enséñale a tu pequeña a hacer rollos con ella, a amasarla, apretarla, agujerearla con los dedos y a estirarla.

◆ Dale unos utensilios sencillos para que los utilice con la plastilina. El bastoncito de madera de los polos y de algunos helados puede servirle para clavarlo a la plastilina, para cortarla, darle forma y recogerla. Si tienes un rodillo, puede usarlo para aplanar la plastilina como si fuera masa.

◆ Si tienes unos cuantos moldes, tu hija puede hacer galletas de juguete para sus muñecos. Con plastilina de otros colores, puede añadirles pasas, trocitos de chocolate, de naranja, o de fresa.

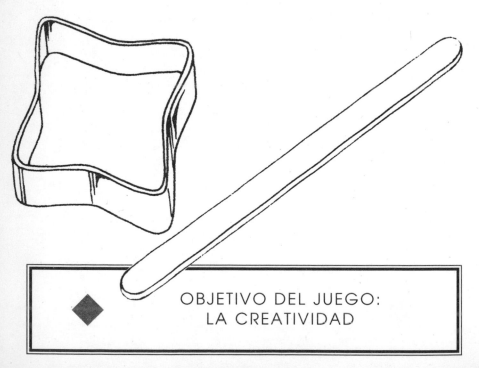

◆ OBJETIVO DEL JUEGO:
LA CREATIVIDAD

La comida

◆ La cocina es un lugar estupendo para mejorar las aptitudes lingüísticas de tu niño.

◆ Cada vez que nombra alguna cosa que le gusta mucho, su vocabulario aumenta.

◆ Pon tres alimentos en la bandeja de su silla alta. Escoge tres cosas que le gusta comer.

◆ Toca cada una de estas cosas y nómbrala.

◆ Repite el nombre de cada una de ellas y pídele que las toque.

◆ Invéntate una cancioncilla sobre estos alimentos al son de «Fray Santiago».

> *Las pasas son deliciosas,*
> *las galletas me encantan,*
> *también bebo zumo,*
> *zumo de naranja,*
> *qué bueno es, qué bueno es.*

◆ Ahora canta esta canción sobre tres alimentos que escojas tú.

OBJETIVO DEL JUEGO:
LAS APTITUDES LINGÜÍSTICAS

El juego de los espaguetis

◆ Los espaguetis hervidos son muy divertidos para los niños pequeños. Seguramente a tu hija también le gustan. Deja que juegue con unos cuantos y que haga experimentos con ellos.

◆ Puede apretar un espagueti entre sus dedos y sentir cómo se escurre.

◆ Puede menearlo y hacer ver que es un gusano o una culebra.

◆ Puede cogerlo de sus extremos y estirarlo hasta que se parta en dos.

◆ Recita e interpreta este divertido poema.

> *Encima de mis espaguetis,*
> *cubiertos de queso rallado,*
>   (espolvorea queso rallado
>   encima de un plato de espaguetis)
> *había una espléndida albóndiga.*
> *La pobre albóndiga se perdió*
>   (finge que estás llorando)
> *cuando alguien estornudó.*
>   (Di: «¡Aaachú!».)

◆ Tu hija querrá jugar una y otra vez, y además querrá comerse los espaguetis.

OBJETIVO DEL JUEGO:
LA CAPACIDAD DE EXPLORAR

106

Dos perritos calientes

◆ Recita este poema e interprétalo con la ayuda de tu hijo.

> *Dos perritos calientes se freían en una sartén.*
> *El aceite se calentó y uno de ellos explotó: ¡PAM!*
>
> *Un perrito caliente se freía en la sartén.*
> *El aceite se calentó y éste explotó.*
> *Uno hizo: ¡PAM! y el otro hizo ¡PUM!*
>
> *Ya no quedan perritos calientes en la sartén,*
> *pero el aceite se calentó y la sartén explotó: ¡PAM!*

◆ Cuando recites la primera línea del primer y segundo verso, estírate en el suelo sobre tu espalda como si fueras un perrito caliente. Cuando llegues a la última línea de cada uno de los tres versos, muévete en el suelo como si tu cuerpo te picara. Anima a tu pequeño a que te imite. Cuando haya captado el juego, se lo pasará en grande interprctando el poema.

◆ OBJETIVO DEL JUEGO:
DIVERTIRSE

Blando y duro

◆ Necesitarás varios envases de mantequilla o margarina y unos cuantos objetos pequeños; algunos deberían ser blandos y otros duros.

◆ Lápices, bastoncitos de madera, dados y llaves son objetos duros muy aptos para este juego.

◆ Bolas de algodón, retales pequeños, trocitos de esponja, plumas y trozos de fieltro son objetos blandos muy apropiados.

◆ Pon un objeto en cada uno de los envases. Dale uno a tu hijo y anímale para que lo abra y saque el objeto. Descríbele cómo se siente el objeto: indícale si es duro o blando y dile cómo se llama. Deja que lo toque y que lo examine hasta que haya saciado su curiosidad.

◆ Dale uno a uno los envases que contengan los objetos blandos. Cada vez que le entregues un envase, anímale para que lo destape y coja el objeto del interior para poder examinarlo bien.

◆ Cuando ya hayas acabado de darle todos los envases con objetos blandos, repite la misma actividad con los duros.

OBJETIVO DEL JUEGO:
DISTINGUIR LO DURO DE LO BLANDO

Cinco guisantes

◆ Sienta a tu niña en su silla alta y pon unos cuantos guisantes ante ella.

◆ Coge uno y mételo en la boca mientras dices: «¡Mmm, qué ricos son los guisantes!».

◆ Ahora pídele a ella que coja uno. Después de que se lo haya metido en la boca, pregúntale: «¿Verdad que es sabroso?». Descríbele cómo son los guisantes, hablándole de su color, su forma, etc.

◆ Cuando haya terminado de comer el resto de los guisantes, sácala de la silla alta y siéntala en el suelo. Recítale este poema mientras lo interpretas con ella.

> *Cinco guisantes*
> *dormían en fila india.*
>   (Échate en el suelo.)
> *En su vaina verde*
> *fueron creciendo.*
> *Crecían y crecían,*
>   (comienza a levantarte del suelo)
> *crecían sin parar,*
>   (sigue levantándote del suelo)
> *y la pobre vaina tuvo que reventar: ¡POP!*
>   (Pega un brinco en el aire.)

OBJETIVO DEL JUEGO:
LA IMAGINACIÓN

El juego del cuentagotas

◆ Este juego es todo un reto para la coordinación de los pequeños, pues se trata de succionar líquido al apretar la goma del cuentagotas y expulsarlo dentro de un cuenco vacío al volver a apretar esta goma. Tu niña disfrutará y aprenderá mucho con este sencillo juego.

◆ Prepara dos cuencos medianos de plástico.

◆ Llena uno de ellos con agua y añádele colorante.

◆ Enséñale a meter el tubo dentro del cuenco con agua mientras aprieta la goma del cuentagotas. Verá cómo asciende el agua coloreada por el tubo.

◆ A continuación muéstrale cómo vaciar el cuentagotas en el otro cuenco.

OBJETIVO DEL JUEGO:
LA COORDINACIÓN

Juegos al aire libre

Ejercicio en el césped

◆ Aprovecha el buen tiempo para jugar con tu hijo en el césped. Quítate los zapatos y haz lo mismo con el pequeño para que podáis correr descalzos.

◆ Levanta los brazos hacia el cielo y luego bájalos hasta tocar el suelo.

◆ Después de haber hecho unos cuantos ejercicios de estiramiento, recítale este poema y observa si es capaz de imitarte.

> *Arriba hacia el cielo,*
> *abajo hacia el suelo.*
> *Arriba hacia el cielo,*
> *abajo hacia el suelo.*
> *Ahora gira muy deprisa,*
> *y cae soltando una risa.*

◆ Levanta tus brazos y bájalos tal como indica el poema y después da una vuelta sobre ti misma.

◆ En la última línea, cae al suelo, di: «¡BUM!» y ríete.

**OBJETIVO DEL JUEGO:
LA COORDINACIÓN**

Pies contentos

◆ Si le das la oportunidad a tu hija de caminar con los pies descalzos sobre diferentes superficies, verás que su coordinación de la vista y los pies mejora muy rápidamente.

◆ Mientras camináis descalzas sobre unos guijarros lisos, háblale de cómo se sienten tus pies. Deja que camine descalza por la arena y hazle notar que distribuye el peso de su cuerpo de manera diferente cuando camina sobre la arena que cuando camina sobre los guijarros.

◆ Deja que intente caminar descalza sobre cojines, troncos grandes, cemento, césped, ladrillos y cualquier otra superficie que no sea peligrosa para ella. Sujétala de la mano si es necesario.

◆ Cada vez que cambie de superficie, tendrá que variar la forma de mover el cuerpo, con lo cual desarrollará su coordinación de pies y ojos.

◆ OBJETIVO DEL JUEGO:
LA COORDINACIÓN

Lavemos las piedras

◆ Pon varias piedras de distintas formas, tamaños y tonalidades en un cubo grande de plástico.

◆ Sal a tu jardín o al parque con tu pequeño y llévate el cubo, unos trapos viejos y un recipiente para agua.

◆ Llena el cubo de agua y lava las piedras con un trapo. Dale otro trapo a tu hijo y anímale a que te imite.

◆ Mientras vas lavando las piedras, canta esta canción al son de «El patio de mi casa».

> *Con un trapo y con agua*
> *lavamos estas piedras,*
> *lavamos estas piedras*
> *con un trapo y con agua.*

◆ Hazle notar que muchas de las piedras cambian de color y textura cuando se lavan.

OBJETIVO DEL JUEGO:
DISTINGUIR LAS TEXTURAS

El juego de las pelotas

◆ Coge dos pelotas que sean del mismo tamaño y sal al parque o a tu jardín. Una de las pelotas es para ti y la otra para tu hijo.

◆ Muéstrale todas las cosas que se pueden hacer con la pelota mientras le cantas esta canción al son de «La viudita del conde Laurel».

*Así rodamos la
pelota al jugar,
así rodamos la
pelota al jugar.*

*Así cogemos la
pelota al jugar,
así cogemos la
pelota al jugar.*
(Sujeta la pelota por encima de tu cabeza,
bajo tu brazo y detrás de la espalda.)

◆ Ahora dale una pelota para que pueda imitar todo lo que haces.

◆ OBJETIVO DEL JUEGO:
LAS APTITUDES LINGÜÍSTICAS

12-15
MESES

Una visita por el vecindario

◆ A los niños de uno a dos años les gusta mucho este juego, que además de aumentar su vocabulario les ayuda a familiarizarse con su entorno.

◆ Lleva a tu pequeña de paseo por el barrio. Cuando paséis al lado de alguien o algo que atraiga su atención, deténte y habla con esta persona o cosa.

◆ Si por donde pasáis hay plantas, habla con las flores y con los insectos que veáis y di frases sencillas como: «Hola, flores. Me llamo Susana. Estamos dando una vuelta por el barrio. Adiós».

◆ Repite esta frase cada vez que decidas hablar con alguna cosa que no sea una persona.

OBJETIVO DEL JUEGO:
LAS APTITUDES LINGÜÍSTICAS

Lavar es divertido

◆ No hay duda alguna de que el agua atrae a los niños pequeños.

◆ Llena un cubo de agua y déjalo delante de tu hijo.

◆ Dale un trapo o una esponja pequeña y algunos platos de plástico, cubiertos viejos y cualquier otra cosa que pueda fingir que lava y que no se le pueda romper.

◆ Si estás en la terraza o en el jardín, hay muchas otras cosas que puede lavar, como las mesas o las sillas.

◆ OBJETIVO DEL JUEGO:
SEGUIR INSTRUCCIONES

Los tesoros de la naturaleza

◆ Hay muchos tesoros que tu hija puede descubrir mientras estáis en un parque o en un jardín. Cuando salgas de paseo, llévate una cesta.

◆ Deja que tu pequeña explore y recoja las maravillas que encuentra. La cesta de los tesoros se irá llenando de piedras, semillas, ramas, hojas, flores, guijarros e incluso conchas.

◆ Después de haber recogido varios tesoros, siéntate con ella y saca cada elemento para comentárselo.

◆ Presta mucha atención a las cosas que más le interesan a tu hija, pues esto te puede dar pistas para desarrollar otros juegos de aprendizaje en el futuro.

◆ Pídele que vuelva a meter uno de los tesoros en la cesta. Pregúntale cómo se llama para ver si es capaz de recordar su nombre.

◆ OBJETIVO DEL JUEGO:
VALORAR LA NATURALEZA

118

El juego del diente de león

◆ Sal con tu hijo a dar «un paseo entre los dientes de león».

◆ Coge un diente de león y ofréceselo. Cuenta cuántos dientes de león encontráis en vuestro paseo.

◆ Examina un diente de león con tu pequeño. Al cabo de un rato, saca una lupa y deja que lo mire a su través para observarlo con mayor detalle.

◆ Usa palabras como «con delicadeza» y «suavemente» para explicarle cómo se debe sujetar el diente de león.

◆ Haz un pomo con los dientes de león para ponerlo en un jarrón de tu casa. Pídele que te ayude.

◆ Compara los dientes de león con otras cosas del mismo color que puedas tener en casa.

 OBJETIVO DEL JUEGO:
VALORAR LA NATURALEZA

El juego de rodar

◆ Cada vez que realices una actividad física con tu pequeña, practícala tanto con el lado derecho como con el izquierdo. Aunque los niños de esta edad no saben lo que es la derecha y la izquierda, sí son conscientes de que sus cuerpos tienen dos lados.

◆ Busca una pendiente suave o un montículo en un parque o un jardín con césped.

◆ Enséñale a tu hija cómo tumbarse de lado y rodar pendiente abajo. Al principio tendrás que empujarla hasta que se dé cuenta de que puede darse impulso sin tu ayuda.

◆ Ahora enséñale cómo tumbarse sobre el otro lado para rodar por la pendiente.

◆ Cuando estés segura de que es capaz de hacerlo sola, ponte al final de la pendiente para atraparla.

◆ También puedes rodar tras ella mientras gritas: «¡Te voy a pillar!». Este juego es muy divertido y estimulante para los pequeños.

OBJETIVO DEL JUEGO:
DERECHA E IZQUIERDA

El juego de trazar líneas

◆ Las líneas se pueden trazar en la arena, en la tierra y en el lodo. Es como tener una gran pizarra sobre la cual se puede dibujar y después borrar sin ningún problema.

◆ Enséñale a tu niño a trazar una línea en la tierra utilizando su dedo.

◆ Guía su mano con suavidad para ayudarle y muestra entusiasmo con el resultado.

◆ Ahora haz una línea serpentina con muchas curvas pequeñas. Ayuda a tu pequeño guiando su mano.

◆ Traza unas cuantas líneas con un palo pequeño de puntas romas o con un juguete que tengas a mano.

◆ Empuja un coche de juguete por la tierra y señálale las huellas que las ruedas han dejado en la tierra.

◆ Los niños van aprendiendo a reconocer lo que son las líneas con juegos y experimentos de este tipo y, al mismo tiempo, mejora su coordinación óculo-manual.

◆ OBJETIVO DEL JUEGO:
LA COORDINACIÓN

121

Recoge las pelotas malabares

◆ Puedes jugar con una o más personas. Necesitarás una cesta y unas cuantas pelotas malabares.

◆ En este juego, tu tarea será lanzar las pelotitas dentro de la cesta y tu hija se encargará de sacarlas y traértelas de nuevo.

◆ Si ya camina bien, le será bastante fácil inclinarse y extraerlas sin tu ayuda.

◆ Si aún no camina con seguridad y pierde el equilibrio cuando se inclina sobre la cesta, ayúdale volcándola para que pueda recogerlas.

◆ Al ver lo divertido que resulta este juego, tu pequeña muy pronto querrá lanzar las pelotas malabares dentro de la cesta.

OBJETIVO DEL JUEGO:
EL SENTIDO DE LA RESPONSABILIDAD

Juguemos a dar volteretas

◆ Ponte en cuclillas al lado de tu hija y da una voltereta. Pregúntale: «Yo sé dar una voltereta. ¿Lo sabes hacer tú también?».

◆ Enséñale los movimientos necesarios para hacer la voltereta y observa si es capaz de seguirlos. Indícale cada vez lo que estás haciendo y pregúntale si ella sabe hacerlo.

◆ A los niños de uno a dos años les encanta revolcarse, ponerse en cuclillas, correr a tocar un árbol, sostenerse sobre su cabeza, girar con los brazos abiertos y muchas cosas más que les ayudan a descubrir y afinar los movimientos de su cuerpo.

◆ El hecho de nombrar cada acción cuando la realizas también les ayuda a desarrollar sus aptitudes lingüísticas y mejorar su comprensión.

◆ OBJETIVO DEL JUEGO:
SEGUIR INSTRUCCIONES

El cojín que se columpia

◆ Necesitarás una cinta elástica bastante larga y un cojín ligero.

◆ Cose uno de los cabos de la cinta elástica a una punta del cojín. Ata el otro cabo a una rama baja de un árbol. El cojín debería colgar lo suficiente como para que tu hijo pueda alcanzarlo.

◆ Golpea el cojín con la mano mientras le dices a tu pequeño: «¡Uno, dos, tres, BUM!».

◆ Vuelve a decirlo, animándole a que te imite.

◆ Ahora dale diferentes objetos para golpear el cojín: rollos de papel de cocina, un matamoscas, o una rama ligera.

OBJETIVO DEL JUEGO:
APRENDER A IMITAR

Es hora de regar

◆ Haz unos cuantos agujeros pequeños en la parte inferior de una garrafa de plástico.

◆ Sal afuera con tu niña y camina por el jardín o por un parque señalándole las flores, la hierba, los árboles y todas las plantas.

◆ Llena la garrafa con agua y dile a tu hija dónde puede regar.

◆ Pídele que riegue el césped, las flores, la tierra y cualquier árbol cercano. Cada vez que siga tus instrucciones, elógiala.

◆ Mientras va regando, cántale esta canción al son de «El patio de mi casa».

Cogemos la garrafa
y vamos a regar,
que todas las plantitas
habremos de mojar.

Las plantitas
mucho han de crecer,
y muy sanas y verdes
yo las quisiera ver.

◆ OBJETIVO DEL JUEGO:
LA COORDINACIÓN ÓCULO-MANUAL

El juego de la selva

◆ Échate en el suelo con tu hijo y hazle una demostración de cómo se mueve una serpiente.

◆ Coloca una silla en medio de la habitación y deslízate alrededor con movimientos serpentinos. Anima a tu pequeño para que haga lo mismo.

◆ Podéis hacer un túnel para deslizaros por él. Mientras vais serpenteando, canta esta canción al son de «El farolero»:

En la selva vive una serpiente,
que se desliza culebreando así.
En la selva vive una serpiente,
que cuando sisea, sisea así.

OBJETIVO DEL JUEGO:
CONOCER EL PROPIO CUERPO

Juguemos con cintas

◆ Las cintas de papel pinocho son juguetes estupendos para los niños de uno a dos años porque se estiran mucho y no se rompen fácilmente. Aquí te sugerimos unas cuantas maneras de jugar con ellas al aire libre.

Corre sujetando una cinta con tu mano.

Enróscala, o hazla girar rápidamente ante ti.

Sujétala contra el suelo y anima a tu pequeño para que salte por encima.

Ata algunas cintas a una rama lo suficientemente baja como para que tu hijo pueda saltar y golpearlas.

Si hace mucho viento, sencillamente alza tu brazo con una cinta bien sujeta para ver cómo la mueve el viento.

OBJETIVO DEL JUEGO:
LA COORDINACIÓN

Juguemos al escondite

◆ Este juego es muy estimulante para los niños pequeños y se divierten muchísimo con él.

◆ Cuando tu hijo no te esté mirando, escóndete cerca de él y di: «Me he escondido. A ver si me encuentras».

◆ Si estás en tu jardín, escóndete detrás de algo (un arbusto, un árbol, o una esquina de la casa) que no te tape del todo. Si estás dentro de casa, escóndete detrás del sofá, debajo de la mesa, o en otro sitio que se te ocurra.

◆ Con este juego tu niño aprenderá a escuchar y distinguir de dónde viene tu voz y al mismo tiempo te buscará con la vista.

◆ Este juego también ayuda a que entienda que un brazo o un hombro visible son partes de un cuerpo entero.

◆ Cuando te encuentre, se sentirá muy satisfecho. Abrázale y comparte su alegría.

◆ OBJETIVO DEL JUEGO:
LA CAPACIDAD DE ESCUCHAR

Pintemos el mundo

◆ Dale a tu niña una brocha grande y un cubo de agua y salid afuera.

◆ Canta esta canción al son de «El señor Don Gato».

> *Vamos a pintar la casa*
> *con la brocha y con agua, piripinpan,*
> *con la brocha y con agua.*
>
> *Mira qué bonita está*
> *mira cómo ha quedado, pirimpimpao,*
> *la casita reluciente.*

◆ Deja que pinte la casa con agua. Esto tiene la ventaja de que si se salpica o derrama su «pintura», no manchará nada.

◆ Canta la misma canción pero cambiando la palabra «casa» por coche, mesa, buzón, o cualquier otra cosa que pueda «pintar» con agua.

◆ OBJETIVO DEL JUEGO:
LAS APTITUDES LINGÜÍSTICAS

¡A caminar!

◆ Éste es uno de los juegos favoritos de muchos niños de uno a dos años. Se trata de caminar dando vueltas con tu hijo cogido de la mano y de recitar este poema al mismo tiempo.

Camino, camino y camino,
camino, camino y camino,
camino, camino y camino,
y entonces paro.

◆ Camina en círculos. Cuando digas la palabra «paro», quédate clavada donde estás sin moverte.

◆ En vez de caminar, puedes intentar saltar a la pata coja, patinar, caminar de puntillas, saltar, marchar, correr, nadar, o girar.

◆ Después de haber jugado unas cuantas veces, tu hijo sabrá exactamente qué tiene que hacer cuando oiga la palabra «paro», e incluso puede sorprenderte diciendo él mismo la palabra.

OBJETIVO DEL JUEGO:
LA COORDINACIÓN

Juegos de soplar

◆ A los niños pequeños les encanta soplar. Es una actividad que requiere bastante destreza, pero su práctica fortalece los músculos de la boca, lo cual es esencial para el desarrollo del lenguaje. Aquí te sugerimos algunas actividades para soplar.

Sopla por una pajita.
Haz burbujas en un vaso grande de agua.
Sopla entre tus dedos.
Sopla sobre un dedo.
Sopla dentro de una bolsa de papel.
Sopla con fuerza una hoja que tengas en la mano.
Con la ayuda de una pajita, sopla para impulsar una pelota pequeña y ligera por toda la habitación.
Sopla sobre una flor o sobre unas briznas de hierba para ver cómo se mueven.

OBJETIVO DEL JUEGO:
LAS APTITUDES LINGÜÍSTICAS

El caballito del marqués

◆ Siéntate con tu pequeña en el regazo.

◆ Mientras recitas este poema popular, haz botar tus piernas en el momento adecuado.

El caballito del marqués
    (haz botar a la niña sobre tus rodillas)
tres celemines se come al mes,
    (coge sus manos entre las tuyas y haz que aplauda tres veces)
un puñadito de bellotas,
y el caballito
    (haz una pausa sin botar)
¡que trota, que trota,
que trota, que trota!
    (Continúa botando
    cada vez más fuerte.)

◆ OBJETIVO DEL JUEGO:
DIVERTIRSE

San Serenín

◆ Siéntate en el césped delante de tu hijo.

◆ Dobla las rodillas y junta las plantas de los pies.

◆ Anímale a que haga lo mismo y, si no puede solo, ayúdale.

◆ Inclina tu torso hacia delante mientras te sujetas los tobillos. Esconde tu cara entre tus piernas. Ahora pídele que imite los movimientos que has hecho.

◆ Haz gestos o acciones que pueda copiar sin mayor dificultad. Una vez que comience a disfrutar con esta actividad, canta la canción de corro «San Serenín».

◆ Cada vez que digas: «Hacen así, hacen los zapateros/ panaderos/planchadoras...», realiza una acción que sea fácil de imitar.

◆ Si tu pequeño necesita que le ayudes, cántale la actividad de nuevo mientras guías su mano o su cuerpo.

◆ OBJETIVO DEL JUEGO:
DIVERTIRSE

La pelota rueda por el túnel

◆ Necesitas tres o cuatro personas (hermanos, amigos, vecinos) para este divertido juego. Cuantos más seáis, más reiréis.

◆ Pídeles a todos que formen una fila con las piernas abiertas.

◆ Una persona debería estar al final de la fila para atrapar la pelota.

◆ Enséñale a tu hijo cómo hacer rodar la pelota por el túnel hasta que llegue a la persona que debe atraparla.

◆ Continuad jugando hasta que él pueda hacer rodar la pelota sin tu ayuda.

◆ Cuando se canse de hacer rodar la pelota, déjale ser la persona encargada de atraparla.

OBJETIVO DEL JUEGO:
HACER RODAR UNA PELOTA

Corre hacia el árbol

◆ Una de las actividades favoritas de los niños es correr; con este juego tu hijo tendrá la oportunidad no sólo de correr, sino de mejorar sus aptitudes lingüísticas.

◆ Camina por tu jardín o por un parque. Ata unas cuantas cintas de colores vivos a diferentes sitios: una baranda, un árbol, un columpio o algún otro elemento conocido.

◆ Dile: «Vamos a correr hacia el árbol». Con su mano en la tuya, corre hasta el árbol. Después corre a todos los otros sitios donde has atado cintas y cada vez que corras a un sitio nuevo, dile hacia dónde corréis.

◆ Ahora pídele que sea él quien corra hacia el árbol, la baranda o el columpio. Esto le encantará, sobre todo si ve que aplaudes sus esfuerzos cada vez que llega a su destino.

◆ OBJETIVO DEL JUEGO:
LAS APTITUDES LINGÜÍSTICAS

Juegos para caminar

◆ Una vez que tu pequeña sepa caminar, hay muchas actividades que puedes elaborar para ayudarle a mejorar su coordinación.

◆ Enséñale cómo caminar de diferentes maneras: de lado, hacia atrás, o levantando mucho las piernas con la rodilla doblada como si fuera un caballito.

◆ Marcha, camina de puntillas, o arrastra los pies.

◆ Deja que tus brazos cuelguen ante ti, junta las manos y mécete para adelante y para atrás. Camina muy lentamente mientras vas moviendo tu «trompa de elefante» de lado a lado.

◆ Camina despacio y después rápidamente.

◆ Anima a tu hija para que salte a la pata coja, brinque y corra.

◆ Mientras caminas, varía el tono de voz: habla en voz baja, en voz alta y aguda, con voz infantil, etc.

 OBJETIVO DEL JUEGO:
LA COORDINACIÓN

Atrapa la pelota

◆ Una pelota de playa ligera es excelente para los pequeños principiantes. Si está un poco desinflada resultará más fácil de sujetar.

◆ Pídele a otra persona que se ponga delante de tu hijo a un metro de distancia y que le tire la pelota.

◆ Ponte detrás del niño para ayudarle a atrapar y lanzar las primeras pelotas.

◆ Muéstrale cómo hacer un círculo con sus brazos para atraparlas.

◆ Pídele a otro jugador que lance la pelota.

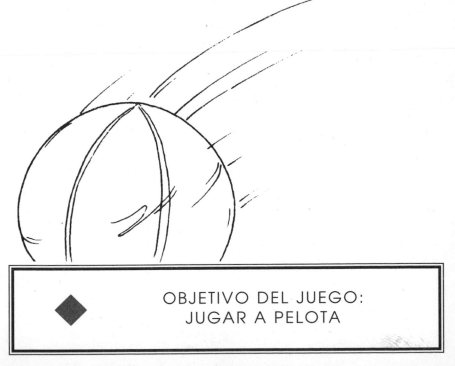

◆ OBJETIVO DEL JUEGO:
JUGAR A PELOTA

Juguemos a saltar

◆ Éste es un juego magnífico que requiere fuerza, equilibrio, coordinación y agilidad.

◆ Encuentra una caja lo suficientemente fuerte como para soportar el peso de tu hijo. Ponlo encima de la caja y coge sus manos.

◆ «¡Preparados, listos, fuera!» Ayúdale a saltar de la caja. Tus brazos deberían estar a la altura de sus hombros para que aterrice soportando su propio peso.

◆ Esta actividad le encantará y querrá jugar una y otra vez.

◆ OBJETIVO DEL JUEGO:
APRENDER A SALTAR

Diviértete con una lupa

◆ Necesitarás una lupa, a ser posible de plástico.

◆ Sal a dar un paseo con tu hija y llévate una manta para que podáis sentaros en el césped.

◆ Dale una brizna de hierba y enséñale cómo examinarla con la lupa. Puedes comentarle que la brizna parece haber aumentado su tamaño.

◆ Ayúdale a examinar su cuerpo con la lupa. Detalles como las uñas, la piel, etc., resultan absolutamente fascinantes para los pequeños.

◆ Pasea por un jardín o un parque y busca cosas para examinarlas con la lupa. Mira las dos caras de una hoja, examina una flor, o la corteza de un árbol.

◆ Si os tumbáis en el césped, seguramente podréis ver unos cuantos insectos ocupados en sus tareas.

◆ Si jugáis a esto a menudo, tu hija seguramente querrá llevar la lupa a todas partes, lo cual es muy positivo para fomentar su curiosidad.

OBJETIVO DEL JUEGO:
LA CAPACIDAD DE OBSERVACIÓN

Juguemos con arena

◆ Hacer dibujos en la arena es una actividad muy creativa con la que disfrutan mucho los pequeños artistas.

◆ En los armarios de la cocina encontrarás un sinfín de utensilios para hacer dibujos interesantes: el pelador de patatas, las espátulas, las cucharas de diferentes medidas, la espumadera, el colador, los moldes de galleta y muchas otras cosas que pueden servir para esta actividad.

◆ Enséñale a tu hijo cómo apretar cada utensilio contra la arena para hacer un dibujo.

◆ Si está un poco húmeda, haz un montículo para que el dibujo tenga más relieve.

◆ Muéstrale cómo llenar un vaso con arena y cómo girarlo boca abajo para hacer colinas o torres.

◆ Cava un agujero en la arena y mete un utensilio dentro.

◆ Muéstrale cómo se utiliza cada herramienta y verás cuánto aprende y disfruta creando sus propios dibujos.

◆ Si no tienes arena, puedes usar sal. Llena una fuente grande de horno con sal para hacer dibujos en ella. Lo único que tienes que hacer para borrar el dibujo anterior es agitar la fuente.

 OBJETIVO DEL JUEGO:
LA CREATIVIDAD

Una manta y una pelota

◆ Para este juego necesitarás una manta pequeña y una pelota.

◆ Sujeta dos puntas de la manta mientras tu hija aguanta las otras dos.

◆ Muéstrale cómo se agita la manta.

◆ Ahora vuelve a tender la manta en el suelo y con mucho cuidado pon una pelota en medio. Ambas debéis sujetar las puntas de la manta con firmeza y poco a poco ir agitándola para que la pelota comience a botar.

◆ Pídele que vaya detrás de la pelota cuando caiga de la manta.

◆ Este juego resulta tan divertido para los pequeños que seguramente tu hija no se cansará de jugar y querrá poner otras cosas en la manta además de la pelota.

◆ OBJETIVO DEL JUEGO:
LA COORDINACIÓN ÓCULO-MANUAL

Juegos para reír y divertirse

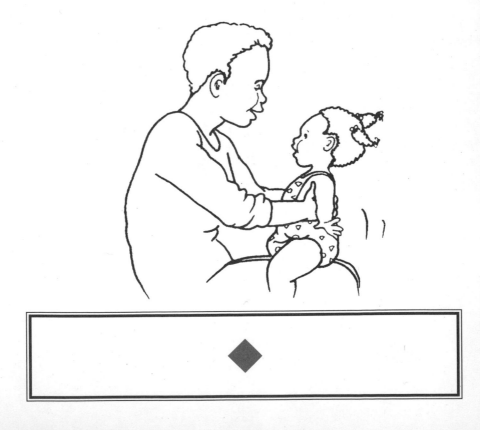

Cucú, aquí estoy

◆ Hay muchas maneras de jugar al escondite con tu hijo. Aquí te sugerimos unas cuantas.

◆ Tápate los ojos con las manos y de vez en cuando apártalas para descubrir tu cara y decir: «Cucú».

◆ Pídele que se tape los ojos con sus manos; al ver cómo lo haces tú, muy pronto te imitará y se divertirá «escondiéndose».

◆ Cuelga una manta entre vosotros. Asómate por los laterales, por arriba y por abajo de la manta y dile: «Cucú, aquí estoy», cada vez que te asomes.

◆ Escóndete detrás de un muñeco grande, o detrás de una toalla u otro objeto que te tape casi por completo. Asómate inesperadamente y sorpréndelo con tu risa.

◆ Tumba a tu pequeño en la cama. Tápale con una sábana y levántala por las puntas para ver «quién» se esconde.

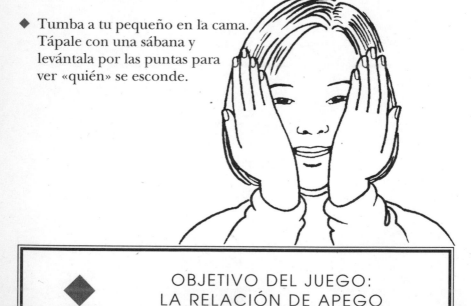

◆ OBJETIVO DEL JUEGO:
LA RELACIÓN DE APEGO

Marinero que se fue a la mar

◆ Tu pequeña no se cansará nunca de oír el poema que acompaña este juego tradicional para hacer palmitas. Como los movimientos de las manos aún le resultarían complicados, los hemos cambiado y simplificado para que pueda realizarlos sin problemas.

Marinero que se fue a la mar, mar, mar,
   (haz palmitas y cuando llegues a la palabra «mar»,
   ondea tu mano como si fuera una ola tres veces)
para ver lo que podía ver, ver, ver,
   (haz palmitas y cuando llegues a la palabra «ver», pon tu mano
   sobre la frente como si fuera una visera y gira la cabeza hacia los
   lados y hacia adelante)
y lo único que pudo ver, ver, ver
   (haz palmitas y repite los movimientos que van con «ver»)
fue el fondo de la mar, mar, mar.
   (Haz palmitas y repite los movimientos que van con «mar».)

◆ Primero recita este poema e interprétalo al mismo tiempo. Después, coge las manos de tu hija y ayúdala a realizar los movimientos. Si jugáis a menudo, pronto podrá imitarte y realizar los movimientos por su cuenta.

OBJETIVO DEL JUEGO:
LAS APTITUDES LINGÜÍSTICAS

¿Dónde está el pollito?

◆ Escóndete detrás de una puerta y di: «Pío, pío, pío».

◆ Pídele a tu hijo que encuentre el pollito.

◆ Si le cuesta encontrarte, asoma un pie o tu cabeza para que pueda verte.

◆ Escoge un sitio diferente y vuelve a esconderte para jugar otra vez.

◆ Cada vez que juegues, cambia el animal; una vez puede ser un becerro, otra un patito, otra un gatito. Lo importante es que puedas imitar el sonido que hace.

◆ Después de haber jugado unas cuantas veces, tu hijo querrá ser el que se esconda y haga los sonidos del animal. Elógiale cuando los haga; cuanto más le animes, más se esforzará y divertirá.

OBJETIVO DEL JUEGO:
LAS APTITUDES LINGÜÍSTICAS

La colmena de abejas

◆ Enséñale a tu pequeña fotos de abejas y abejorros. Haz sonidos de zumbidos y anímala para que te imite.

◆ Finge que eres un abejorro que va zumbando por toda la habitación.

◆ Comienza a recitar el siguiente poema con un puño cerrado que representa la colmena de abejas.

> *Si ésta es la colmena,*
> *¿dónde están las abejas?*
> *Bien escondidas están tras sus rejas.*
> *Observa y verás cómo salen zumbando:*
> *¡una, dos, tres, cuatro, cinco, volando!*

◆ Cada vez que cuentes una abeja, levanta un dedo comenzando por el pulgar.

OBJETIVO DEL JUEGO:
LAS APTITUDES LINGÜÍSTICAS

¡A que no me pillas!

◆ Gatea por el suelo con tu hijo y dile: «¡A que no me pillas!».

◆ Comienza a gatear delante de él con gran entusiasmo para que se anime a perseguirte. Deja que te atrape y ríete con él cuando lo haga.

◆ Ahora cambia de papel y dile: «¡Te voy a pillar!». Deja que tu hijo empiece a gatear antes que tú.

◆ Este juego les encanta a los niños y querrán jugar una y otra vez.

◆ Cada vez que «pilles» a tu hijo, dale un abrazo muy fuerte.

OBJETIVO DEL JUEGO:
DIVERTIRSE

Frío y calor

◆ Siéntate en una silla con tu hijo en el regazo de cara a ti.

◆ Dile: «Hace muuucho calor» y álzalo con los brazos estirados para después abrazarlo.

◆ Ahora dile: «Hace muuucho frío» y abre tus piernas para bajarlo suavemente hasta el suelo mientras lo sujetas con fuerza.

◆ Después de haber repetido estas acciones unas cuantas veces, pregúntale si prefiere el frío o el calor. Haz la acción que corresponde a lo que te pida.

◆ Una vez que haya entendido de qué trata el juego, pídele que lo repita con uno de sus muñecos.

◆ OBJETIVO DEL JUEGO:
DISTINGUIR COSAS OPUESTAS

¿Dónde estoy?

◆ Dile a tu pequeña que te vas a esconder.

◆ Escóndete detrás de una silla o debajo de la mesa. Al principio es muy importante que tu hija vea dónde te ocultas para que pueda encontrarte.

◆ Una vez que te hayas escondido, canta esta cancioncilla al son de «Fray Santiago»:

Me he escondido, búscame,
¿dónde estoy, dónde estoy?
Debajo de la mesa,
debajo de la mesa,
aquí estoy, aquí estoy.

◆ Cuando te encuentre, dale un abrazo muy fuerte.

◆ Continúa jugando a esconderte, pero ve variando la habitación y los sitios donde te escondes.

◆ Este juego ayudará a tu hija a conocer la casa mejor y a moverse con más soltura por todas las habitaciones sin necesidad de que la acompañes.

OBJETIVO DEL JUEGO:
LA CAPACIDAD DE ESCUCHAR

Diviértete con unos sombreros

◆ Busca todos los sombreros y gorros que tengas en casa para jugar con tu hijo. Elige un sombrero clásico y póntelo. Ahora dirígete a él en tono formal y dile: «¿Cómo está, querido?» o «Ha sido un placer verle».

◆ Ponle el sombrero y vuelve a repetir las mismas frases.

◆ Repite la actividad, pero esta vez delante de un espejo para que pueda mirarse.

◆ Ahora cambia de sombrero. Si no tienes otro, ponte un gorro. Cambia tu voz y dile frases que se adecuen a tu nuevo aspecto.

◆ Repite el juego hasta que se canse de él.

◆ OBJETIVO DEL JUEGO:
LA CREATIVIDAD

Mira por la ventana

◆ Coge una caja de cartón que tengas en casa (una de zapatos sería ideal), y haz dos agujeros en uno de sus laterales.

◆ En el lateral opuesto recorta una «ventana».

◆ Enséñale a tu hija a sostener la caja ante sí para mirar por los dos agujeros.

◆ Cuando lo haga, acerca tu cara a la «ventana» para mirarla. ¡Verás cómo se divierte al ver una cara conocida al otro lado!

◆ Mete tu dedo por la «ventana» y muévelo mientras lo observa.

◆ Muy pronto aprenderá a mirar por los agujeros cada vez que acerques un objeto a la «ventana».

OBJETIVO DEL JUEGO:
DIVERTIRSE

Juguemos con pompas de jabón

◆ El líquido para soplar pompas de jabón es una inversión barata que os proporcionará muchas horas de risas y diversión a ti y a tu pequeño.

◆ Cualquier día es bueno para salir afuera y soplar pompas de jabón, con tal de que no esté lloviendo.

◆ En vez de soplar por la varita, puedes agitarla al viento y dejar que las pompas salgan volando.

◆ Intenta atrapar todas las pompas de jabón con la varita y míralas detenidamente con tu hijo.

◆ Intenta contar todas las pompas que salen por el agujero de la varita.

◆ Sóplalas delante de un ventilador. CUIDADO: nunca dejes a tu niño solo delante de un ventilador y explícale que es peligroso acercar las manos.

◆ Intenta atrapar todas las pompas antes de que lleguen al suelo.

◆ Pisa las pompas de jabón. ¿Dónde van cuando explotan?

◆ Enséñale a tu hijo cómo hacer las pompas. Practica con él los movimientos de la boca necesarios para soplar; este ejercicio también es muy útil para su desarrollo lingüístico.

OBJETIVO DEL JUEGO:
DIVERTIRSE

Tipitina, tipitón

◆ Recita este poema popular mientras sostienes a tu hijo sobre tus rodillas.

> *Iba la señora*
> *de la sala a la cocina,*
> *tipitina, tipitina.*
>
> *Iba el señorón*
> *de la sala al salón,*
> *tipitón, tipitón.*

◆ Cuando recites el primer verso, susurra la letra y haz que bote suavemente al decir las palabras «tipitina, tipitina» para imitar a una señora que camina de puntillas.

◆ Cuando digas el segundo verso, dilo con un gran vozarrón y hazlo botar muy alto al recitar «tipitón, tipitón» para imitar a un señor pisando con fuerza.

◆ Ahora dilo comenzando desde el final, sin equivocarte en la voz ni en el ritmo con que haces botar a tu pequeño. Verás cómo se divierte.

OBJETIVO DEL JUEGO:
DIVERTIRSE

Dos juegos para botar

◆ Recita este poema mientras botas a tu hija sobre tus rodillas.

> *Las campanas de Montalbán,*
> *unas vienen y otras van.*
> *Las que no tienen badajo*
> *van abajo, van abajo.*
> *Tente, chiquita,*
> *tente, bonita,*
> *que te vas a tierra,*
> *¡a tierra, a tierra!*

◆ Cuando digas el último verso, deslízala suavemente por un costado hasta que toque el suelo.

◆ Siéntala sobre tus rodillas cara a ti. Levanta una pierna y después la otra, como si fueras un caballo que va trotando. Cuando digas: «¡a galope, a galope!», haz que bote más rápidamente.

> *Al trote, al trote,*
> *va el buen Quijote.*
> *Por toda La Mancha,*
> *y por la ancha Castilla,*
> *sobre su silla*
> *va el buen Quijote.*
> *¡A galope, a galope!*

OBJETIVO DEL JUEGO:
DIVERTIRSE

Chu, chu, súbete al tren

◆ Coloca una toalla grande de playa en el suelo.

◆ Sienta a tu hija en la toalla y arrástrala por el suelo. Ten cuidado de no tirar de la toalla bruscamente para que no se caiga hacia atrás y se dé un golpe en la cabeza.

◆ Juega a que está viajando en algún medio de transporte. Si es un coche, haz sonidos de coche; si es un avión, imita los sonidos de éste; si es un tren, haz «chu, chu».

◆ Anímala para que haga estos sonidos contigo.

◆ Aunque los niños de esta edad seguramente no entienden lo que es un medio de transporte, disfrutan igualmente haciendo los sonidos.

◆ OBJETIVO DEL JUEGO:
EL EQUILIBRIO

Un juguete sonoro

◆ Esconde un juguete sonoro (con sonido incorporado) debajo de la almohada de tu hijo o debajo de un cojín de tu sofá o sillón.

◆ Pon tu mano debajo del cojín y aprieta el juguete.

◆ Si él reacciona escuchando atentamente o buscando de dónde viene el sonido, continúa apretando el juguete hasta que lo descubra.

◆ Cuando lo encuentre, dile con gran entusiasmo: «¡Aquí está tu juguete!».

◆ Si parece que no ha entendido de qué trata el juego, enséñale el juguete y vuelve a esconderlo mientras te observa.

◆ Una vez que te ha visto hacerlo, vuelve a apretarlo hasta que haga su sonido. Si todavía no sabe qué hacer, guía su mano hasta el lugar donde está el juguete y exclama: «¡Aquí está tu juguete!».

**OBJETIVO DEL JUEGO:
LA CAPACIDAD DE ESCUCHAR**

Los títeres son divertidos

◆ Si tienes un títere de mano, puedes inventarte un montón de juegos para jugar con tu hija. Una vez que hayáis jugado juntas unas cuantas veces, ya verás cómo ella se pondrá a jugar sola con el títere.

◆ Ponte el títere sobre una mano y crea una voz para dirigirte a tu pequeña. Hazle preguntas sobre ella: «¿Cómo te llamas?», «¿Sabes saludar con la mano?», etc.

◆ Dale el títere y sugiérele cosas que puede hacer con él: «¿Sabes poner a dormir al títere?», «¿Sabes hacer que salte el títere?», etc.

◆ OBJETIVO DEL JUEGO:
LAS APTITUDES LINGÜÍSTICAS

Mi amigo el títere

◆ Una forma divertida y atractiva de fomentar el desarrollo del lenguaje de los pequeños es jugar con títeres.

◆ Rellena una funda de cojín con trapos viejos que sean suaves y que estén limpios. La funda debería ser blanca o de color crema.

◆ Cuando esté rellena del todo, cierra su boca atándole un cordón.

◆ Dibuja una cara sonriente sobre la parte superior de la funda; puedes dibujar otras partes del cuerpo y añadir más detalles si te apetece.

◆ Enséñale su nuevo amigo a tu niño. Anímale a que le dé un nombre al títere y si no se le ocurre ninguno, invéntate algo divertido como «Trinco Rinco» o «Triqui Traque».

◆ Habla con el títere y finge que te contesta y habla contigo. Hazle preguntas sobre cosas que pueda entender tu hijo: «¿Quieres dormir?» o «¿Te bebiste toda la leche?».

◆ Cuanto más hables con el títere y más animes al niño para que también lo haga, más se desarrollarán sus aptitudes lingüísticas.

OBJETIVO DEL JUEGO:
LAS APTITUDES LINGÜÍSTICAS

Sami Samba

◆ Sienta a tu hija sobre tus rodillas mirando hacia ti. Recítale este divertido poema:

> *Sami Samba montó su caballito*
> *para ir a la feria como todo un señorito.*
> *Al llegar al río, el puente se desplomó,*
> *y con todo su peso al río cayó,*
> *pero gracias al caballo Sami Samba se salvó,*
> *y galopando rápido a casa regresó.*

◆ Cuando digas: «el puente se desplomó», abre las piernas para que tu niña tenga la impresión de caer. Sujetándola firmemente, bájala hasta el suelo cuando digas: «Y con todo su peso al río cayó» y vuelve a subirla inmediatamente para hacerla botar sobre tus rodillas al recitar los últimos dos versos del poema.

◆ Enséñale cómo jugar a esto con una muñeca o un muñeco de peluche mientras tú recitas a su lado. Verás cómo se divierte.

◆ OBJETIVO DEL JUEGO:
LA RELACIÓN DE APEGO

Si eres un buen chico

◆ Este juego siempre provoca muchas carcajadas.

◆ Empieza caminando tus dedos desde un tobillo de tu pequeño y recorre toda su pierna mientras vas recitando este poema.

> *Si eres un buen chico,*
> *y seguro que lo SERÁS,*
> *ni una risa soltarás*
> *¡cuando te haga cosquillas en la rodilla!*

◆ Hazle cosquillas en la rodilla cuando digas el último verso.

◆ Vuelve a repetirlo, pero esta vez cambia «rodilla» por otra parte del cuerpo.

◆ Cuando tu hijo sepa cómo jugar, recita el poema mientras él te hace cosquillas.

◆ Hay muchos juegos tradicionales para hacer cosquillas. Tu niño anticipará las cosquillas cada vez que oiga los dos primeros versos:

> *Si vas a la carnicería*
> *que te den una libra de carne*
> *pero que no te la den de aquí,*
> *ni de aquí, ni de aquí...*

 OBJETIVO DEL JUEGO:
CONOCER EL PROPIO CUERPO

Un juego para hacer ejercicio

◆ Ponte de pie delante de tu hija y sujeta sus manos con firmeza.

◆ Canta esta canción al son de «En la granja de mi tío» mientras saltáis.

> *Para arriba y para abajo*
> *saltamos las dos.*
> *Hay que hacer mucho ejercicio,*
> *saltemos aún más.*

◆ Cambia la letra de la canción, pero sin variar la tercera línea.

> *Dóblate hasta tocar*
> *la punta del pie.*
> *Hay que hacer mucho ejercicio,*
> *tócate los pies.*

◆ Ahora prueba a cantar «estírate hacia arriba», «corremos sin movernos» y «gira el cuerpo hacia los lados». Incluye todos los ejercicios que se te ocurran.

OBJETIVO DEL JUEGO:
HACER EJERCICIO

El pececito

◆ Junta las palmas de tus manos para que parezcan un pez y recita este simpático poema.

> *El pececito, el pececito,*
> *muy temprano sale a jugar,*
> *y moviendo sus aletas se pone a nadar.*
> *Nada y nada en el río transparente,*
> *abre su boca y se zampa de repente*
> *unas algas arrastradas por la corriente.*
> *Mmm, ¡qué buenas son*
> *las algas sin sazón!*

◆ Mueve tus manos haciendo eses como si fueran un pez nadando. Cuando el pez abre su boca, abre y cierra tus manos para imitarle.

◆ Cuando digas lo buenas que están las algas, frótate el estómago con aire de satisfacción.

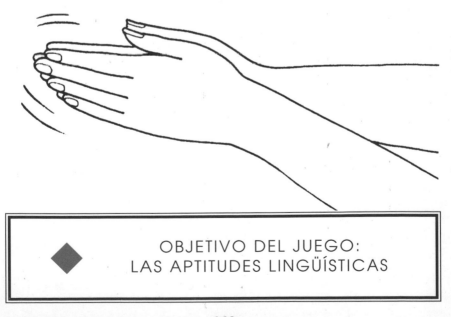

◆ OBJETIVO DEL JUEGO:
LAS APTITUDES LINGÜÍSTICAS

El juego de la linterna

◆ A los niños de uno a dos años les encanta este juego, que además es excelente para adquirir conocimientos lingüísticos.

◆ Apaga las luces de una habitación y tapa todas las ventanas y ranuras por donde se pueda colar la luz. Siéntate en el suelo con tu hija en el regazo.

◆ Enciende la linterna y muévela muy despacio por toda la habitación. Mientras vas iluminando cada rincón y objeto, háblale de cada una de las cosas que enfocas con la linterna.

◆ Ahora dale la linterna y deja que vaya recorriendo la habitación con el foco.

◆ Después de haber hablado sobre todas las cosas de la habitación: la puerta, el suelo, el techo, el pomo de la puerta, un cuadro, una silla y cualquier otro objeto, cambia de juego. Di: «Uno, dos, tres, ¡ahora dime lo que ves!».

◆ Al decir «Uno, dos, tres...», dirige la linterna hacia algún sitio y nombra los objetos que ilumina. Anímala para que sea ella quien los nombre y, si no lo sabe, dilo tú primero y pídele que repita lo que has dicho.

**OBJETIVO DEL JUEGO:
LAS APTITUDES LINGÜÍSTICAS**

En busca del arco iris

◆ Si tienes una manguera para regar tu jardín, hay muchas actividades que puedes hacer con ella para entretener a tu pequeño.

Dirige la manguera hacia arriba dibujando un arco con el chorro de agua y deja que tu hijo corra debajo del agua para mojarse.

Sujeta la manguera a un palmo del suelo y anima a tu pequeño para que salte por encima del chorro.

Ahora sube la manguera y sugiérele que gatee por debajo del chorro de agua.

Menea la manguera para que el agua se mueva como una serpiente.

Déjale regar tus flores y el césped.

Haz un charco de lodo para que juegue y se ensucie todo lo que quiera.

Cuelga la manguera de la rama de un árbol o de cualquier sitio que sea un poco alto para que el agua caiga como si fuera una cascada.

Buscad un arco iris mientras taponas la boca de la manguera y diriges el chorro de agua hacia arriba.

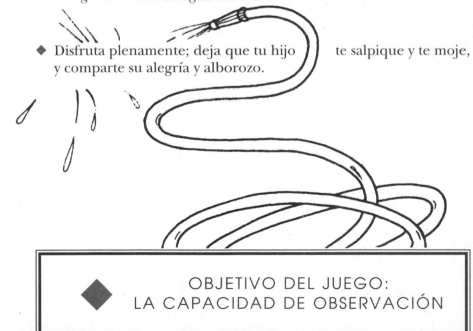

◆ Disfruta plenamente; deja que tu hijo te salpique y te moje, y comparte su alegría y alborozo.

◆ OBJETIVO DEL JUEGO:
LA CAPACIDAD DE OBSERVACIÓN

Juguemos con arena

◆ Los cajones de arena son sitios maravillosos para los niños pequeños.

◆ Mientras se juega con la arena se pueden desarrollar muchas habilidades.

◆ Aquí te sugerimos algunas actividades que pueden realizarse con este material.

Llenar y vaciar recipientes.
Hacer carreteras y conducir los coches de juguete por ellas.
Enterrar los pies en la arena.
Enterrar algunos juguetes y buscarlos.

◆ OBJETIVO DEL JUEGO:
LA IMAGINACIÓN

Cruz y raya, mi buen Bartolo

◆ Recítale este divertido poema a tu niño.

Cruz y raya,
    (dibuja una X en su espalda con tu dedo)
mi buen Bartolo,
    (tócale la punta de la nariz marcando el ritmo de las sílabas)
un ciempiés te trepa solo.
    (Hazle cosquillas en la espalda.)
Una brisa te acaricia
    (sopla suavemente en su nuca)
y te abrazo con delicia.
    (Dale un abrazo muy tierno.)
¡Ay, que tu cuerpo se estremece por la risa!
    (Hazle cosquillas por todo el cuerpo.)

OBJETIVO DEL JUEGO:
LA RELACIÓN DE APEGO

Un elefante

◆ Diviértete con tu hija mientras interpretas esta simpática canción.

> *Un elefante*
>   (haz una trompa de elefante aguantando tu brazo
>   doblado delante de la cara)
> *se balanceaba sobre la tela de una araña.*
>   (Finge que estás caminando con mucho cuidado
>   sobre una telaraña.)
> *Como veía que no se caía fue a llamar a otro elefante.*
>   (Haz señales para que venga otro elefante: tu hija.)
> *Dos elefantes… ¡CATAPUM!*
>   (Ahora tenéis que caer al suelo.)

◆ Puedes cantar otra versión para enseñarle los colores.

> *Un elefante reía y conducía un gran coche amarillo.*
> *Como veía que se divertía fue a buscar un coche rojo.*
> *Dos coches… ¡CATAPUM!*

◆ Puedes interpretar esta versión con coches de juguete de diferentes colores.

◆ También puedes alargar la canción cambiando el color del coche que conduce el elefante y el color del coche que va a buscar. Así podrás mencionar el rojo, amarillo, azul, negro, blanco, rosa, anaranjado, verde y cualquier otro color que se te ocurra. Si tienes una caja de colores a tu lado, se los puedes ir señalando.

◆ Cuando hayas dicho todos los colores, puedes acabar diciendo: «Demasiados coches… ¡CATAPUM!».

OBJETIVO DEL JUEGO:
DIVERTIRSE

Abracadabra

◆ Separa algunos objetos que le resulten conocidos a tu hijo: sus bloques, un molde de galleta, un tenedor, o su juguete favorito, y coge unas cuantas hojas de papel para trazar las siluetas de estos objetos. No dibujes más de un objeto en la misma hoja.

◆ Pon todos los objetos que has utilizado dentro de una caja.

◆ Recítale este poema a tu niño.

Abracadabra, uno dos, tres,
mira en la caja y ¿qué es lo que ves?

◆ Pídele que coja uno de los objetos que hay en la caja. Ayúdale a emparejarlo con la silueta que dibujaste sobre papel.

◆ El poema le da un toque especial a este juego. Es aún más divertido si cerráis los ojos mientras lo dices.

◆ OBJETIVO DEL JUEGO:
LA CAPACIDAD DE OBSERVACIÓN

Vamos a recoger los juguetes

◆ Una forma más ligera y agradable de hacer cualquier tarea o deber es cantar mientras se está realizando.

◆ Cuando tu hija se empiece a cansar de los juguetes que tiene a su alrededor, pídele que te ayude a recogerlos.

◆ Siéntate a su lado y muéstrale cómo coger un recipiente ligero (una cesta, un cubo, o una caja) con una mano y con la otra dejar caer un juguete dentro de él.

◆ Si esto le resulta difícil, dale un juguete y pídele que lo meta dentro de un recipiente que esté en el suelo.

◆ Ahora dale otro juguete, pero esta vez dile que tire el juguete en el recipiente; así se divierte y mejora su puntería.

◆ Mientras vais soltando los juguetes dentro de una caja, cántale esta canción al son de «La pastora».

A recoger juguetes,
que toca descansar,
los juguetes guardados
en su caja están.

◆ OBJETIVO DEL JUEGO:
EL SENTIDO DE LA RESPONSABILIDAD

Las gafas de la abuela

◆ Recítale este poema a tu niño mientras lo interpretas con las manos.

Aquí están las gafas de la abuela,
    (haz círculos juntando el pulgar y el dedo índice)
y aquí está su sombrero.
    (Junta los pulgares y las puntas de los dedos índices para
    que formen un triángulo que va encima de tu cabeza.)
La abuela junta sus manos así
    (junta las tuyas)
y las pone sobre su regazo.
    (Haz lo mismo.)
Aquí están las gafas del abuelo,
    (haz círculos más grandes con tus dedos)
y aquí está su sombrero.
    (Haz un sombrero más grande con las manos.)
El abuelo cruza sus brazos así
    (crúzalos bruscamente)
y echa la siesta de cada día.
    (Cierra tus ojos y ronca.)

◆ OBJETIVO DEL JUEGO:
LAS APTITUDES LINGÜÍSTICAS

Una pelota pequeña

◆ Éste es un poema popular cuyo autor es anónimo. Recita este poema mientras mueves los brazos para interpretarlo; anima a tu pequeño para que copie tus gestos.

Una pelota pequeña,
    (junta las dos manos haciendo una bola con ellas)
una pelota más grande,
    (separa tus manos, curvándolas para hacer una forma
    redonda más grande)
y una pelota bien grande es lo que veo yo.
    (Extiende tus brazos y manos dibujando dos arcos grandes
    que se juntan.)
Ahora contemos las pelotas:
una,
    (extiende tus brazos y manos dibujando dos arcos grandes
    que se juntan)
dos,
    (curva tus manos un poco separadas para hacer
    una forma redonda)
y tres.
    (Junta las dos manos en forma de bola.)

OBJETIVO DEL JUEGO:
LAS APTITUDES LINGÜÍSTICAS

Juegos artísticos y musicales

Veo, veo

◆ Coge una pelota y un coche de juguete que sean del mismo color.

◆ Al son de «Fray Santiago» canta la siguiente canción.

> *Veo algo, veo algo*
> *pa' jugar, pa' jugar,*
> *es muy redondita,*
> *y puede rodar.*
> *¿Qué crees que es? ¿Qué crees que es?*
>
> *Veo algo, veo algo,*
> *con ruedas, con ruedas,*
> *es verde y brillante,*
> *tiene una bocina.*
> *¿Qué crees que es? ¿Qué crees que es?*

◆ Anima a tu hija para que conteste la pregunta: «¿Qué crees que es?»; puedes darle pistas señalando o cogiendo el objeto al que te refieras.

◆ Este juego también es estupendo para pequeños de esta edad que no hablan mucho, pues pueden señalar el objeto sin decir nada.

◆ Puedes adaptar la canción para incluir otras cosas que tu niña reconozca.

OBJETIVO DEL JUEGO:
IDENTIFICAR OBJETOS

Canta y bota la pelota

◆ Sujeta una pelota de playa en tu mano. Debería ser lo suficientemente pequeña como para que tu hijo la pueda sujetar sin problemas, pues verás que querrá intentar este juego solo.

◆ Bota la pelota una vez y di: «Bota».

◆ Sigue botando la pelota mientras dices:

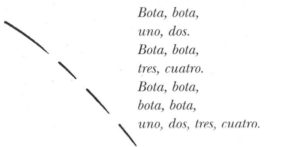

> *Bota, bota,*
> *uno, dos.*
> *Bota, bota,*
> *tres, cuatro.*
> *Bota, bota,*
> *bota, bota,*
> *uno, dos, tres, cuatro.*

◆ Invéntate otra melodía para decir estas palabras. Repite tu cancioncilla e intenta que tu pequeño la cante contigo.

◆ Dale la pelota y deja que sea él quien intente jugar.

◆ OBJETIVO DEL JUEGO: APRENDER A CONTAR

El juego de los garabatos

◆ Coge todos los colores de cera, lápices, rotuladores y tiza que tengas y dáselos a tu hija para alentarla a hacer garabatos. Garabatear es muy bueno para la coordinación óculo-manual, lo cual es básico para el correcto desarrollo de los pequeños.

◆ Mirar cómo hace garabatos también resultará divertido para ti.

◆ Siéntate a una mesa con ella. Ponla en su silla alta, a menos de que tengas una mesa cuya altura sea adecuada para ella. Cubre toda la superficie de la mesa con cualquier papel liso en el que ella pueda dibujar: el papel de embalaje es muy apto y barato. Ahora enséñale cómo mover un lápiz de cera sobre el papel, guiando su mano hacia arriba y hacia abajo.

◆ Elogia con entusiasmo todas las líneas y formas que va creando. Dile lo bonito que es su dibujo, fijándote en algún detalle concreto que puedes resaltar; por ejemplo: «Me gustan muchísimo esas líneas redondeadas de color rojo de tu dibujo».

◆ Dibuja una forma interesante con un lápiz de cera y dile: «Mira el dibujo que he hecho. ¿Puedes hacer un dibujo?».

◆ Este tipo de juegos son fantásticos para los niños de esta edad, pues se sienten realizados y les ayuda a desarrollar su autoestima.

OBJETIVO DEL JUEGO:
LA COORDINACIÓN ÓCULO-MANUAL

¿Dónde está?

◆ Juega en una habitación distinta cada vez.

◆ Camina por toda la habitación con tu niño y nombra todos los objetos que hay a vuestro alrededor. Háblale en frases cortas y sencillas.

«Esto es una silla.»
«Esto es un piano.»
«Esto es la puerta.»

◆ Después pregúntale: «¿Dónde está la silla?».

◆ Continúa preguntándole sobre cada objeto que has nombrado.

OBJETIVO DEL JUEGO:
LA CAPACIDAD DE OBSERVACIÓN

Cha, cha, cha

◆ Pon unas canicas u otros objetos pequeños que hagan un ruido interesante dentro de una lata que no tenga los bordes afilados.

◆ Aunque la tapa cierre bien, asegúrate poniendo cinta adhesiva alrededor para que no se abra.

◆ Entrégale la lata a tu pequeño y pídele que la agite mientras cantáis.

◆ Canta cualquier canción que los dos sepáis, como «En la granja de mi tío».

◆ Después, con tono cantarín, di las palabras: «Uno, dos, cha, cha, cha».

◆ Enséñale a agitar la lata cuando llegues al «cha, cha, cha.»

◆ Repite este juego varias veces hasta que entienda que debe agitar la lata al oír «cha, cha, cha».

OBJETIVO DEL JUEGO:
DESARROLLAR EL SENTIDO DEL RITMO

Cabeza y hombros

◆ Recítale este poema a tu pequeña, primero tocando la parte de tu cuerpo que mencionas y después haciendo lo mismo con ella.

> *Cabeza y hombros, rodillas y pies,*
> *rodillas y pies.*
> *Cabeza y hombros, rodillas y pies,*
> *rodillas y pies.*
> *Ojos y orejas y boca y nariz.*
> *Cabeza y hombros, rodillas y pies,*
> *rodillas y pies.*

◆ Después de jugar un buen rato, observa si ella es capaz de tocar las partes de su cuerpo al recitarlas tú.

◆ Otra versión sería darle una muñeca para ver si es capaz de identificar esas partes del cuerpo en la muñeca.

◆ OBJETIVO DEL JUEGO:
CONOCER EL PROPIO CUERPO

¡A remar!

◆ Siéntate en el suelo de cara a tu hija.

◆ Separa sus piernas un poco y pon tus piernas encima de las suyas cuidando de que no te pesen demasiado. Coge sus manos y comienza a moverla hacia adelante y hacia atrás. Inclínate hacia adelante hasta que su espalda toque el suelo y después atráela de nuevo hacia ti.

◆ Canta esta canción de comba y adáptala a este juego con tu hija.

Al pasar la barca
me dijo el barquero:
—Las niñas bonitas
no pagan dinero.

Al volver la barca
me volvió a decir:
—Las niñas bonitas
no pagan aquí.

Yo no soy bonita
ni lo quiero ser.
¡Arriba a la barca,
una, dos, tres!

OBJETIVO DEL JUEGO:
LA COORDINACIÓN

Canta con campanas y panderetas

◆ Las campanas, los cascabeles y las panderetas son un acompaña-miento estupendo para las canciones infantiles, y además estos instrumentos son baratos y relativamente fáciles de encontrar; búscalos en tiendas de música o de material escolar.

◆ Las canciones «Quisiera ser tan alta» y «El señor Don Gato» son muy populares y aptas para estos instrumentos musicales. Deja que tu hijo agite los cascabeles o golpee la pandereta mientras cantas. Si no conoces esta canción, canta cualquier otra que tenga un ritmo muy marcado.

◆ Las rimas y poemas infantiles también se prestan estupendamen-te al uso de estos instrumentos musicales. Uno de éstos podría ser «Debajo de un botón». Agita la pandereta o los cascabeles al prin-cipio de cada verso.

> *Debajo de un botón, ton, ton,*
> *que encontró Martín, tin, tin,*
> *había un ratón, ton, ton,*
> *muy chiquirritín, tin, tin.*
>
> *¡Ay qué chiquitín, tin, tin,*
> *era aquel ratón, ton, ton,*
> *que encontró Martín, tin, tin,*
> *debajo de un botón, ton, ton!*

◆ Déjale hacer experimentos agitando los cascabeles muy rápido o muy despacio hasta que encuentre el ritmo que le guste o le pa-rezca adecuado.

◆ OBJETIVO DEL JUEGO:
DESARROLLAR EL SENTIDO DEL RITMO

El juego de las formas

◆ Necesitarás una hoja grande de papel para dibujar y un lápiz de cera.

◆ Siéntate a una mesa o en el suelo con tu hijo.

◆ Dibuja un círculo en el papel con tu lápiz de cera. Ahora dale este mismo lápiz u otro de distinto color a tu hijo y guía su mano para que dibuje un círculo. Elogia el resultado diciéndole: «¡Qué dibujo más bonito!».

◆ Guía su mano de nuevo para dibujar alguna otra forma. Repite otra vez: «¡Oh, qué dibujo más bonito!».

◆ Haz experimentos con líneas zigzagueantes, con formas geométricas, o sencillamente con colores.

◆ A los pequeños de esta edad les encanta este juego y, curiosamente, les gusta turnarse. En algún momento, tu hijo seguramente te dará el lápiz de cera y te dirá: «Hazlo tú».

◆ Cada vez que juegues, usa un lápiz de cera de diferente color para que comience a identificar los colores.

◆ Usa lápices gruesos de color, pues sus manitas los sujetan mejor que los finos.

OBJETIVO DEL JUEGO:
LA CREATIVIDAD

Don Melitón

◆ No hay cosa que les guste más a los niños pequeños que poder hacer ruido, y si además sirve para marcar el ritmo de una canción, mejor que mejor. Esta canción popular es fantástica para acompañarla aporreando la cuchara. Para enriquecer el juego, coge las manos de tu hija y ponle un puño sobre el otro (como en el juego «Puño, puñete») cada vez que cantes: «¡Que vivan los gatos de Don Melitón!».

> *Don Melitón tenía tres gatos*
> *que los hacía bailar en un plato*
> *y por las noches les daba turrón.*
> *¡Que vivan los gatos de Don Melitón!*

◆ Adapta los versos de la canción para contar hasta diez, haciendo estas sustituciones en el primero y el segundo verso:

> *Un perro... que le hacía tocar un cencerro...*
> *Dos patos... que los hacía nadar en un vaso...*
> *Tres gatos... que los hacía bailar en un plato...*
> *Cuatro pulgas... que las hacía saltar todas juntas...*
> *Cinco cerdos... que no es por nada, pero eran muy lerdos...*
> *Seis cabras... que les hacía recitar las tablas...*
> *Siete loros... que les hacía cantar en los coros...*
> *Ocho chivos... que se escondían tras esos olivos...*
> *Nueve monos... que se sentaban sobre unos tronos...*
> *Diez vacas... que parecía que estaban muy flacas...*

OBJETIVO DEL JUEGO:
APRENDER A CONTAR

Al juego chirimbolo

◆ Este juego consiste en ir moviendo o señalando las partes del cuerpo conforme se van nombrando, y cuando se dice «al juego chirimbolo» los jugadores han de mover las dos manos sin que se toquen, a la manera de un rodillo.

> *Al juego chirimbolo,*
> *¡qué bonito es!*
> *Un pie, otro pie,*
> *una pierna, otra pierna,*
> *un hombro, otro hombro,*
> *una mano, otra mano,*
> *un codo, otro codo,*
> *una oreja, otra oreja.*
>
> *Al juego chirimbolo,*
> *¡qué bonito es!*

◆ Puedes incluir más movimientos en este juego; por ejemplo, cuando mencionas los pies, taconea con ellos, y cuando nombres las manos puedes saludar, aplaudir, o chasquear los dedos.

◆ Adapta este juego para acompañar actividades motoras:

> *Al juego chirimbolo, ¡qué bonito es!*
>
> *Salta para arriba y para abajo,*
> *date media vuelta, date la vuelta entera,*
> *da un paso para adelante, da un paso para atrás.*

OBJETIVO DEL JUEGO:
CONOCER EL PROPIO CUERPO

El juego de los dos pies

◆ Sujeta la mano de tu niña mientras le recitas e interpretas estos versos.

Con los dos pies, dos pies, dos pies, yo camino sin parar.
Con los dos pies yo camino sin pensar en descansar.

◆ Intenta mover tus pies de diferentes maneras.

Con los dos pies, dos pies, dos pies, yo salto...
Con los dos pies, dos pies, dos pies, yo corro...
Con los dos pies, dos pies, dos pies, yo camino...
Con los dos pies, dos pies, dos pies, yo me deslizo...
Con los dos pies, dos pies, dos pies, yo brinco...

◆ Mueve otras partes del cuerpo.

Con los dos ojos, dos ojos, dos ojos, parpadeo...
La cabeza, la cabeza, yo la muevo...
Los diez dedos, diez dedos yo meneo...

◆ OBJETIVO DEL JUEGO:
LA COORDINACIÓN

A la estación

◆ Coge a tu pequeño por la cintura y finge que ambos sois un trene-cito de dos vagones que va haciendo «chu, chu». Cántale esta can-ción al son de «Arroyo claro»:

> *A la estación*
> *por la mañana,*
> *vamos a ver los trenes*
> *que salen de allá.*
> *Mira el conductor*
> *que nos avisa,*
> *que el chu, chu tren sale*
> *de aquella vía.*

◆ Canta la canción tres veces seguidas, pero cada vez un poco más rápido. Ahora cántala dos veces más, cada vez más despacio. La úl-tima vez, cambia los últimos dos versos por «que llega el chu, chu tren/de nuevo a casa».

OBJETIVO DEL JUEGO:
LA CAPACIDAD DE ESCUCHAR

Arte al aire libre

◆ Por una bandeja de horno en tu patio o jardín y llénala con arena o sal.

◆ Anima a tu hijo para que se ponga a dibujar en la bandeja con sus dedos. Cuando se canse de dibujar, sólo tienes que agitar la bandeja y ya tendrá de nuevo una superficie lisa para dibujar.

◆ Saca un caballete, pintura, papel y unas brochas o pinceles para que pueda pintar al aire libre. Sugiérele que pruebe a pintar sobre el caballete. Una vez que haya acabado su dibujo, cuélgalo para que se seque.

◆ Llena una bandeja de plástico con una crema pastelera espesa y deja que pinte sobre ella con sus dedos. Como premio por sus esfuerzos artísticos, deja que se lama los dedos.

◆ OBJETIVO DEL JUEGO:
LA IMAGINACIÓN

Un instrumento casero

◆ Coge dos bolsas de papel grueso, una para ti y otra para tu hija. Decora las bolsas con rotuladores, o si ella tiene ganas de participar, déjala dibujar en ellas con colores vivos. En cada una puedes poner un poco de arroz y unas habas secas. Ya tienes dos maracas o sonajeros caseros.

◆ Ata las bolsas con cordón o con un poco de cinta adhesiva para que no se abran y dáselas a tu hija.

◆ Enséñale cómo agitar las bolsas cuando oiga música.

◆ Cántale sus canciones favoritas mientras ella agita las bolsas.

◆ Pon música de diferentes estilos y ritmos, como marchas, valses, o algo que suene a flamenco o rumba.

◆ OBJETIVO DEL JUEGO:
DESARROLLAR EL SENTIDO DEL RITMO

El patio de mi casa

◆ Esta canción de corro es una de las favoritas de los niños. Para los más pequeños, es mejor simplificar lo que tienen que hacer.

> *El patio de mi casa*
> *es particular,*
> *cuando llueve se moja*
> *como los demás.*
> *Agáchate,*
> *y vuélvete a agachar,*
> *que los agachaditos*
> *sí saben bailar.*

◆ Si ya camina bien, sujeta sus manos mientras vais dando vueltas, y cuando toque, ponte de cuclillas con él para quedar agachados.

◆ Si no puede caminar todavía, sujétalo y camina dando vueltas. En vez de agacharte, siéntate en una silla con tu hijo en el regazo.

◆ El resto de la canción también da pie a jugar a que el niño corra y tú lo pilles y a estirar los brazos mientras vais girando.

> *Chocolate,*
> *molinillo,*
> *corre, corre,*
> *que te pillo.*
> *Estirar, estirar,*
> *que el demonio va a pasar.*

◆ Todos los movimientos de este juego son muy divertidos para los niños, con lo cual siempre están dispuestos a jugar una y otra vez.

◆ **OBJETIVO DEL JUEGO:**
LA RELACIÓN DE APEGO

El juego de las sombras

◆ Si hace un día soleado, coge a tu hija y sal a dar un paseo con ella para buscar sombras.

◆ Mira tu propia sombra. Mueve tus brazos, bota un poco y después salta encima de su sombra. Explícale por qué tiene una sombra.

◆ Canta esta canción al son de «La viudita del Conde Laurel» mientras observas tu sombra.

> *Has visto mi sombra,*
> *mi sombra tan bella,*
> *que adonde voy yo*
> *me sigue ella.*
> *Mi sombra se dobla*
> *como lo hago yo,*
> *mi sombra siempre hace*
> *lo que hago yo.*

◆ Canta estas dos versiones más, empezando con estos versos la segunda estrofa.

> *Mi sombra sí salta/ si también yo salto...*
> *Mi sombra sí corre/ si también yo corro...*

◆ OBJETIVO DEL JUEGO:
APRENDER LO QUE SON LAS SOMBRAS

Pinta con los pies

◆ Extiende un papel muy grande (de embalaje, por ejemplo) en el patio o en el parque.

◆ Coge una bandeja grande o varias medianas y pon dentro unas cuantas esponjas grandes. Empapa las esponjas con pintura al temple.

◆ Deja que tu pequeño use sus pies como brochas de pintar. Sujeta su mano mientras hunde un pie sobre una esponja para que quede cubierto de pintura. Ahora ayúdale a caminar encima del papel sin soltar su mano por si acaso resbalara.

◆ Haz este experimento con varios colores, o pinta un pelota y hazla rodar por encima del papel, o moja sus manos en la pintura para que deje las huellas de sus manos en el papel.

◆ OBJETIVO DEL JUEGO:
LA COORDINACIÓN

Ya llegó el correo

◆ A tu hija seguramente le encantará mirar el correo, examinar las diferentes formas de los sobres y paquetes, romper la publicidad y mirar las fotos de los catálogos.

◆ Antes de tirar a la basura el correo comercial, aprovéchalo para desarrollar la coordinación y las aptitudes lingüísticas de tu niña.

◆ A los pequeños les encanta abrir los sobres. Si la tuya no lo consigue, ábrelos tú y deja que ella saque la carta.

◆ Para los niños, los sobres están repletos de tesoros: fotos preciosas, diferentes texturas de papel y diferentes formas y tamaños; o sea, son descubrimientos que sirven de estímulo para ellos.

◆ Finge que eres el cartero o la cartera y dile: «Ya llegó el correo, aquí está, y tengo unas cuantas cartas para ti. Vamos a ver de quién son».

◆ Finge que lees una carta de la abuela, de un tío y de otros miembros de la familia que conozca muy bien.

OBJETIVO DEL JUEGO:
LAS APTITUDES LINGÜÍSTICAS

Canciones para los títeres

◆ Junta varios bastones de madera como los que el médico utiliza para oprimir la lengua cuando examina la garganta (llamados depresores o palas linguales). También puedes guardar los bastones de los bombones helados. Consigue pegatinas y pon una en cada bastón.

◆ Si tienes pegatinas de animales, canta «En la granja de mi tío» y finge que las pegatinas-títeres están cantando.

◆ Deja que tu hijo sujete los títeres y que bailotee con ellos en la mano mientras tú cantas al son de «Fray Santiago».

Títeres, títeres,
¿dónde estáis, dónde estáis?
Estamos aquí,
bailoteando así,
y ahora adiós,
ahora adiós.

◆ La canción comienza con tu niño escondiendo los títeres detrás de su espalda. En la tercera línea, cl niño los saca y los hace bailotear delante de ti y después los vuelve a esconder. Primero juega tú para demostrarle cómo se juega y después deja que él interprete la canción. Elogia sus esfuerzos con entusiasmo.

◆ OBJETIVO DEL JUEGO:
LA CAPACIDAD DE JUGAR

Montemos un colage

◆ Reúne todo tipo de cosas que hayas ido guardando y que no pensabas aprovechar: tarjetas de felicitación, papel, palomitas, lanas y retales de diferentes colores, cordones, papel de regalo, habas, correo comercial, hojas secas, etc.

◆ Extiende una cartulina grande o un papel grueso y grande que cubra la superficie de tu mesa de trabajo.

◆ Usa pegamento de barra para poner un poco en el revés de cada una de las cosas y dale este objeto a tu hija para que lo pegue sobre la cartulina.

◆ Deja que ella elija las cosas que quiere pegar y cómo lo quiere hacer.

◆ Puedes dejarle untar los objetos con el pegamento mientras tú la supervisas.

◆ Una vez que haya acabado su obra de arte con la técnica de colage, cuélgala en algún lugar de la casa donde todos la puedan admirar.

OBJETIVO DEL JUEGO:
LA CREATIVIDAD

¡A moldear la plastilina!

◆ Aquí te proponemos algunas actividades que tu hijo y tú podéis realizar y disfrutar juntos.

Ayúdale a hacer serpientes y bolas.

Háblale de los diferentes colores de la plastilina y junta diferentes trozos para ver cómo queda.

Haz formas geométricas que pueda realizar fácilmente, como círculos, triángulos y cuadrados.

Haz letras sueltas, o escoge las letras de su nombre.

Con un rodillo de cocina, aplana la plastilina. Haz dibujos en ella con bloques, un peine, piedras y otros juguetes de madera o de plástico.

Corta la plastilina con moldes de galletas.

◆ OBJETIVO DEL JUEGO:
LA CREATIVIDAD

195

Estampados de calabaza

◆ En otoño, cuando sea época de calabazas, aprovecha para comprar una. Puedes cortar la corteza con formas irregulares o geométricas: cuadrados, rectángulos, círculos, corazones, eses, sombreros, etc.

◆ Moja cada una de las formas en pintura al temple y apriétala contra un papel. Cada vez que hagas un estampado en el papel, dile a tu hijo cómo se llama esa forma.

◆ Dale una forma, dile el nombre y deja que la moje en la pintura y la apriete contra el papel.

◆ Continúa haciendo estampados con las formas geométricas y después pasa a las otras formas. No te olvides de mencionar cómo se llama cada una de las formas o figuras cuando las estés usando.

◆ Puedes sustituir la calabaza por otras frutas o verduras: las zanahorias, las manzanas y las patatas también resultan muy adecuadas.

◆ Puedes probar con una esponja. Córtala en formas interesantes y después moja estas figuras con la pintura.

OBJETIVO DEL JUEGO:
LA CREATIVIDAD

Canciones divertidas

◆ Una de las canciones favoritas de los niños pequeños es « Arre, borriquito».

◆ Sienta a tu hija a horcajadas sobre tus piernas y muévelas imitando el trote de un burro. Mientras ella va botando, canta:

Arre, borriquito, vamos a Sanlúcar,
a comer las peras que están como azúcar.

Arre, borriquito, vamos a Jerez,
a comer las uvas que están como miel.

Arre, borriquito, arre, burro, arre,
anda más deprisa que llegamos tarde.

So, so, so, que ya se llegó.

◆ Cuando la hayas cantado varias veces, haz
una pausa al final de cada verso
para que ella te diga la palabra
que toca: por ejemplo,
«a comer las peras, que
están como_____».

◆ Al final, finge que tiras de las
riendas tirando de sus manitas
y deja de trotar.

◆ OBJETIVO DEL JUEGO:
LAS APTITUDES LINGÜÍSTICAS

El juego de las pegatinas

◆ A los niños les encantan las pegatinas y una forma de jugar con ellos es ayudándoles a hacer una tarjeta especial para que se la envíen a un amigo, a los abuelos, o a una persona querida.

◆ Escoge pegatinas que tengan más o menos la misma forma. Las geométricas son especialmente buenas, ya que ayudan a que los niños aprendan a identificar fácilmente los círculos, cuadrados, etc.

◆ Sobre una hoja de papel DIN-A 4 escribe con letras mayúsculas una frase sencilla como «Querido abuelo: te quiero», o puedes preguntarle a tu hija qué le gustaría decir y anotarlo.

◆ Léele lo que has escrito y déjale decorar la hoja con pegatinas. Al principio tendrás que enseñarle cómo sacarlas de su papel sin romperlas para engancharlas sobre la hoja.

◆ Una vez que haya terminado, envía la tarjeta a la persona para quien se escribió.

◆ OBJETIVO DEL JUEGO:
LA CONDUCTA SOCIAL

Encuentra su par

◆ Juega a emparejar dos cosas: puedes jugar con zapatos, guantes y calcetines, pero también puedes utilizar toallas, servilletas, u otras cosas de las cuales tengas dos iguales.

◆ Mezcla unos cuantos pares de objetos y deja que tu niña encuentre su pareja; si no puede hacerlo sola, ayúdala.

◆ Canta la siguiente canción al son de «Fray Santiago».

> *Tengo un guante, color rojo,*
> *y el otro, ¿dónde está?*
> *Ayúdame a buscarlo,*
> *ayúdame a buscarlo,*
> *aquí está, aquí está.*
>
> *Mi zapato es marrón,*
> *y el otro, ¿dónde está?*
> *Ayúdame a buscarlo,*
> *ayúdame a buscarlo,*
> *aquí está, aquí está.*
>
> *La servilleta es amarilla,*
> *y la otra, ¿dónde está?*
> *Ayúdame a buscarla,*
> *ayúdame a buscarla,*
> *aquí está, aquí está.*

◆ Adapta la canción a cada artículo que deba ser emparejado.

OBJETIVO DEL JUEGO:
EMPAREJAR OBJETOS

Música, maestro

◆ Puedes elaborar instrumentos de ritmo y percusión que le encantarán a tu pequeño y harán aún más divertido el cantar juntos.

◆ Los tambores se pueden hacer de cajas redondas. Cubre la parte abierta de la caja (donde va la tapa) con un plástico adhesivo lo suficientemente grande como para que se pueda enganchar a todo el reborde de la caja, y después, para mayor seguridad, pasa una goma a su alrededor para que el plástico no se despegue. Cuanto más pequeña sea la caja redonda, más agudo será su sonido; cuanto más grande, más grave y profundo será.

◆ Haz maracas con los cilindros de plástico para los rollos de película fotográfica; llénalos hasta la mitad con cuentas, botones, o piedrecitas. Asegúrate de que la tapa está bien puesta y no se puede desprender.

◆ Deja que juegue con los instrumentos mientras cantas una canción que le guste.

◆ OBJETIVO DEL JUEGO:
DESARROLLAR EL SENTIDO DEL RITMO

¿Dónde está Pulgarcito?

◆ Este juego con los dedos es muy popular y ayuda a que los pequeños aprendan a reconocer cada dedo de su mano mucho más rápido. Puedes cantarlo al son de «Fray Santiago» mientras interpretas la letra con las manos.

Pulgarcito, Pulgarcito, ¿dónde estás?
(Esconde tus manos detrás de la espalda.)
Aquí estoy.
(Pon tus manos delante de ti con los pulgares levantados.)
Gusto en saludarte,
(saluda con una mano)
gusto en saludarte,
(saluda con la otra mano)
ya me voy, ya me voy.
(Esconde tus manos detrás de la espalda.)

◆ Canta cinco versos más, sustituyendo Pulgarcito por cada uno de los otros dedos y después por toda la mano.

Dedo índice...
El dedo corazón...
El anular...
El meñique...
La familia...

OBJETIVO DEL JUEGO:
LA COORDINACIÓN

Mueve los deditos de los pies

◆ Quítate los zapatos y ayúdale a tu hija a quitarse los suyos.

◆ Mueve los dedos de los pies y anímala para que haga lo mismo.

◆ Canta esta canción al son de «Porque es un chico excelente».

> *Yo muevo mis diez deditos,*
> *los deditos de mis pies,*
> *yo muevo mis diez deditos,*
> *y no pienso parar.*

◆ Continúa cantando sobre las piernas, los hombros, las caderas, los codos, las manos y cualquier otra parte del cuerpo que se te ocurra y quieras incluir; verás qué rápido aprende las partes del cuerpo al imitar tus movimientos.

OBJETIVO DEL JUEGO:
CONOCER EL PROPIO CUERPO

Juegos para el coche

¿Ves lo que yo veo?

◆ Si sales de paseo con tu hija y vas conduciendo el coche, puedes aprovechar para señalarle algunas cosas o edificios que normalmente no vea.

◆ Anímala para que mire por la ventana y te diga lo que está viendo; si todavía no habla, se trata de que observe y sienta curiosidad por su alrededor.

◆ Al son de «El cocherito leré», canta esta canción para ver si consigues llamar su atención sobre alguna cosa que hayas visto.

> *¿Ves ese coche allí?*
> *Es muy bonito, sí,*
> *va rapidito, lo sé,*
> *y es azulito.*
>
> *Yo veo ese coche*
> *de color azul,*
> *yo sí lo veo,*
> *tú también lo ves,*
> *así que busca otro coche.*

◆ Mientras señalas el coche, di: «Allí está».

◆ Canta sobre otras cosas que se puedan ver desde la ventana.

OBJETIVO DEL JUEGO:
LA CAPACIDAD DE OBSERVACIÓN

¿Quién está en el coche?

◆ Canta esta canción al son de «¿Dónde están las llaves?».

¿Quién está en el coche,
en el coche, en el coche?
¿Quién está en el coche?
Mamá que conduce y yo, chin pon.

◆ Repite la canción, nombrando a otros miembros de la familia como el padre, los abuelos, los tíos, etc. Menciona algunos sitios a los que vais en coche, como el supermercado o el parque.

◆ En el último verso, menciona el sitio adonde os dirigís.

Papá conduce este coche,
este coche, este coche.
Papá conduce este coche
al parque donde juego, chin pon.

OBJETIVO DEL JUEGO:
LAS APTITUDES LINGÜÍSTICAS

Vamos a conducir

◆ Canta esta canción al son de «Vamos a contar mentiras».

> *Vamos a coger el coche,*
> *vamos a coger el coche,*
> *y yo voy a conducir,*
> *y yo voy a conducir*
> *a casa de los abuelos.*

◆ Después de haber cantado, pregúntale a tu hija: «¿A quién podemos ir a visitar?». Invéntate un cuento con su respuesta.

> *Vamos a casa de los abuelos y jugaremos en su jardín...*
> *Vamos al mercado y allí compraremos frutas y verduras...*

◆ Puedes ampliar el cuento incluyendo detalles y experiencias familiares, pero siempre en función de su edad y nivel de comprensión.

◆ Intenta ampliar el relato haciendo preguntas: «Cuando ya hayamos acabado de jugar en el jardín de los abuelos, ¿qué haremos?».

◆ Dale pistas: «¿Entraremos en la casa para darle un abrazo a la abuela?».

◆ También puedes adaptar la canción para incluir en ella actividades motrices. En vez de conducir, puede correr, saltar a la pata coja, caminar, etc. Pero ¡asegúrate que no intente hacer estas cosas en el coche!

 OBJETIVO DEL JUEGO:
LA IMAGINACIÓN

Canta en el coche

◆ Es divertido cantar y escuchar música mientras se va en coche. Puedes cantar las canciones favoritas de tu pequeño o escuchar sus cintas preferidas.

◆ Si conoce bien algún poema o canción, cántala omitiendo la última palabra. Por ejemplo, «Tengo una muñeca vestida de _____, con su camisita y su _____».

◆ Cuando consiga decir la palabra que falta, enséñale a cambiar el tono de su voz para que la cante muy bajito o muy fuerte.

◆ Intenta cantar una canción dejándote un palabra en medio de la frase en vez de al final.

◆ OBJETIVO DEL JUEGO:
LAS APTITUDES LINGÜÍSTICAS

Miro por la ventana

◆ Este juego ayuda a que los niños de uno a dos años busquen con la vista cosas específicas mientras van en coche. Recítale este poema a tu niña.

> *Yo miro por la ventana,*
> *por la ventana miro,*
> *yo miro por la ventana;*
> *adivina lo que miro.*

◆ Después de una pequeña pausa tras la última frase, di en voz alta: «Veo un coche». Ahora pregúntale a la niña si ella también ve el coche y que te diga de qué color es.

◆ Repite el poema y dirige su atención a otros objetos, como la calle, algún edificio, las personas, los animales, los colores, etc.

◆ El objetivo principal del juego es dirigir la atención de tu hija a cosas concretas, pues normalmente a esta edad aún les cuesta centrar su atención. Para que su desarrollo cognitivo sea correcto, es muy importante que se fomente su capacidad de fijar la atención en cosas específicas.

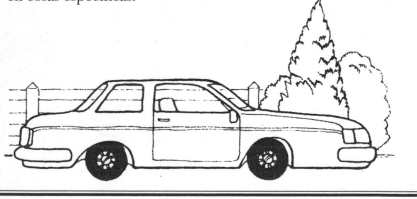

◆ OBJETIVO DEL JUEGO:
LAS APTITUDES LINGÜÍSTICAS

Títeres para el coche

◆ Este juego entretiene a tu hijo mientras vas conduciendo y al mismo tiempo sirve para desarrollar sus aptitudes lingüísticas.

◆ Cuando entres en el coche, dibuja una cara en cada uno de sus pulgares con un rotulador fino. (Dile que no se los chupe, o ya puedes despedirte del juego.)

◆ Dale un nombre a cada uno de los títeres pulgares; así podrás hablar con ellos: «Hola, cara de torta», o «¿Cómo estás, Chechu?».

◆ Mientras vas conduciendo, habla con los títeres. Tu hijo seguramente te responderá o moverá sus pulgares como respuesta.

◆ Aquí te sugerimos unas cuantas cosas que puedes decirles a los títeres.

> *«¿Viste aquel coche rojo?»*
> *«Mira qué bellos están los árboles.»*
> *«Luz roja, paramos; luz verde, arrancamos.»*

◆ Pide a los títeres que canten contigo alguna canción sencilla y divertida que tu hijo conozca bien.

OBJETIVO DEL JUEGO:
LAS APTITUDES LINGÜÍSTICAS

Así conducimos el coche

◆ Conducir un coche puede servir como un proceso educativo y divertido para los niños, ya que les brinda la ocasión de aprender los nombres de partes del coche y cómo funcionan.

◆ Cántale esta canción a tu hija al son de «Porque es un chico excelente».

> *Así conducimos el coche, así conducimos el coche,*
> *así conducimos el coche, y cada día igual.*
>
> *Nuestra bocina tocamos, nuestra bocina tocamos,*
> *nuestra bocina tocamos, y cada día igual.*
>
> *Con el seguro cerramos las puertas de nuestro coche,*
> *con el seguro cerramos, y cada día igual.*

◆ En el primer verso, finge que estás manejando el volante y en el segundo, que estás tocando la bocina.

◆ Canta más versos sobre el coche.

> *Así abrimos la puerta....*
> *Así van los parabrisas....*
> *Así metemos la llave...*
> *El cinturón nos ponemos...*
> *Así frenamos el coche...*

OBJETIVO DEL JUEGO:
LAS APTITUDES LINGÜÍSTICAS

Juguemos al escondite en el coche

◆ Jugar al escondite es un juego estupendo que los niños parecen disfrutar mucho, sobre todo hasta los tres años.

◆ Esta versión simplificada es ideal para el coche y mantendrá a tu niño entretenido y al mismo tiempo desarrollará sus capacidades visuales.

◆ Juega al escondite con algunas partes del coche. Pídele que se tape los ojos y que busque el volante.

◆ Sugiérele que haga lo mismo con el parabrisas, la radio, la ventanilla, etc. A continuación dile que mire por la ventana y que juegue al escondite: «¿Ves aquella señora? Juega al escondite con ella» o «Juega al escondite con el puente».

◆ También puedes preguntarle: «¿Dónde está el sol? ¿Puedes jugar al escondite con el sol?».

◆ OBJETIVO DEL JUEGO:
DIVERTIRSE

211

Bolsillos con sorpresas

◆ Si tienes una funda vieja de almohada que ya no utilizas, aprovéchala para coserle algunos bolsillos con retales de fieltro o de otro material.

◆ Recorta el fieltro que te ha sobrado para hacer figuras de personas y animales lo suficientemente pequeñas como para caber en los bolsillos. Decóralas a tu gusto.

◆ Dale la funda a tu hijo cuando subáis al coche; verás cómo se divierte con las personas y los animales.

◆ Antes de empezar a conducir, enséñale cómo esconder las figuras en los bolsillos y cómo hacer que sólo asomen sus cabezas. Puedes ponerles nombres e inventarte cosas sobre ellos, como que cada bolsillo es la casa de uno y que a veces van de visita a otra casa.

◆ Si guardas este juego para el coche y únicamente le dejas jugar con él cuando estáis allí, tu hijo estará muy contento cada vez que lo vea y subirá al coche con mucha ilusión.

◆ OBJETIVO DEL JUEGO:
LA CAPACIDAD DE JUGAR

Luz verde, luz roja

◆ Mientras vas conduciendo el coche puedes aprovechar para enseñarle a tu hija cómo funcionan los semáforos y qué significa el cambio de luz.

◆ Cántale esta canción al son de «Arroyo claro».

> *Conduzco el coche,*
> *conduzco el coche,*
> *bip, bip, conduzco el coche,*
> *bip, bip, el coche.*
>
> *La luz está roja,*
> *la luz está roja,*
> *hay que parar el coche*
> *cuando hay luz roja.*
>
> *La luz está verde,*
> *la luz está verde,*
> *arrancamos el coche*
> *cuando hay luz verde.*

◆ Este juego es muy divertido para los pequeños, pues es el momento en que están aprendiendo a reconocer los colores, y por lo tanto participan activamente señalando de qué color está la luz.

OBJETIVO DEL JUEGO: DISTINGUIR LOS COLORES

En el coche de papá/mamá

◆ Ir de paseo en coche puede ser una ocasión maravillosa para cantar y escuchar música juntos.

◆ Ésta es una versión nueva de una canción muy conocida: «En la granja de mi tío».

> *En el coche de papá*
> *vamos a pasear.*
> *La bocina del coche*
> *suena bip, bip, bip.*
> *Con un bip, bip, aquí y otro bip, bip, allá,*
> *la bocina suena así*
> *siempre hace bip, bip, bip.*
>
> *En el coche de papá,*
> *vamos a pasear...*

◆ Mientras vas cantando, pídele a tu hija que finja que toca la bocina.

◆ Canta sobre otras partes del coche.

> *Los parabrisas hacen / ruido de chas, chas...*
> *El motor ronronea/ y hace run, run, run...*
> *La radio suena así/ tralalirolá...*

OBJETIVO DEL JUEGO:
DIVERTIRSE

Toca la bocina

◆ Explícale a tu hijo cómo funcionan diversas partes del coche y cómo se llaman.

> *«La bocina pita.»* (Finge que tocas la bocina.)
> *«El volante gira.»* (Finge que giras el volante.)
> *«Los parabrisas se mueven derecha-izquierda.»*
>   (Mueve tus manos como si fueran parabrisas.)
> *«Las ventanas suben y bajan.»*
>   (Mueve tus manos para arriba y para abajo.)

◆ Cántale esta canción al son de «Porque es un chico excelente».

> *Nuestra bocina tocamos,*
> *nuestra bocina tocamos,*
> *nuestra bocina tocamos,*
> *mientras en coche vamos.*

◆ Añade otros versos que se te ocurran.

> *El volante giramos...*
> *Así abrimos la puerta...*
> *Así frenamos el coche...*

OBJETIVO DEL JUEGO:
LAS APTITUDES LINGÜÍSTICAS

Hablemos del coche

◆ Este juego es perfecto para ocasiones en que estéis tú y tu hija a solas en el coche.

◆ Mientras vas conduciendo, capta su atención describiéndole todas las cosas que vas haciendo. Por ejemplo: «Ahora pongo mi pie sobre el freno y el coche se para».

◆ La próxima vez que pares, repite la explicación que le diste y anímala para que diga: «¡Para!».

◆ Lo que más fascina a los niños de esta edad es el limpiaparabrisas y pasan muchos ratos simplemente mirándolo. Saca partido de esto y dile: «Voy a poner el limpiaparabrisas en marcha. Mira cómo se mueve: derecha-izquierda, derecha-izquierda, derecha-izquierda». Es una buena forma de irle indicando estas direcciones.

◆ Este tipo de conversación ayuda a desarrollar sus aptitudes lingüísticas y cognitivas.

OBJETIVO DEL JUEGO:
LA CAPACIDAD DE PENSAR

Un teléfono en el coche

◆ Cada vez hay más gente con teléfonos móviles en los coches, así que un teléfono de juguete en el coche parece algo muy normal.

◆ Mientras tu niño está sentado en su asiento, sugiérele que llame a alguien.

◆ Dile adónde vas y pídele que llame para avisar que vais a llegar: «Dile a la abuela que pronto llegaremos a su casa». Dale pistas sobre lo que le podría decir: «Hola, abuelita, estaremos allí en cinco minutos».

◆ Tanto si vas al supermercado, como al parque o a recoger a alguien de la guardería, finge que les llamas antes desde el coche.

◆ Después de unas cuantas veces de jugar a esto, verás que a tu hijo se le ocurrirán cosas que puede decir por teléfono.

◆ OBJETIVO DEL JUEGO:
LAS APTITUDES LINGÜÍSTICAS

Mi chiquitina tiene un coche

◆ Cántale esta canción a tu hija al son de «San Serenín» mientras vas conduciendo.

Mi chiquitina
tiene un coche, cochecito,
mi chiquitina
toca la bocinita
bip, bip, así suena.

◆ Puedes cantar la canción usando el nombre de tu hija en vez de decir «chiquitina/chiquitín», y también puedes fingir que tocas la bocina cuando cantas «bip, bip».

◆ A los niños de esta edad les gusta repetir las cosas y les encanta cantar esta canción una y otra vez. Para variarla un poco, cambia la primera palabra: «El abuelito tiene un coche, cochecito», o «Mi tía querida tiene un coche, cochecito».

◆ Puedes cantar esta canción, escogiendo como protagonista un muñeco de peluche o un buen amigo suyo.

◆ Intenta cambiar el sonido de la bocina. Canta: «Uaahh», «Booo», o cualquier otro sonido que se te ocurra.

◆ OBJETIVO DEL JUEGO:
LAS APTITUDES LINGÜÍSTICAS

Es divertido charlar

◆ Puedes mantener a tu hijo entretenido y quieto en el coche si captas su interés charlando con él.

◆ Señálale cosas que conozca mientras vas conduciendo. Cuando diga una palabra, repítela incluyéndola en una frase completa. Por ejemplo, si dice: «Perro», puedes decirle: «Ese perro es marrón», o «Sí, vaya perro más grande».

◆ Nombra partes del coche: la puerta, las ruedas, el volante, las luces, etc. Cada vez que repita una de estas palabras, inclúyela en una frase.

◆ Sin ser consciente de ello, tu pequeño está adquiriendo muchos conocimientos que después le servirán para construir frases.

◆ OBJETIVO DEL JUEGO:
LAS APTITUDES LINGÜÍSTICAS

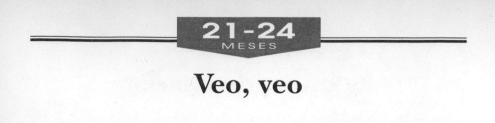
Veo, veo

◆ Construye un juguete para el coche con el rollo de cartón del papel de cocina.

◆ Enséñale a tu hija a mirar por el rollo.

◆ Primero dile: «Veo, veo», e indícale que ella tiene que preguntar: «¿Qué ves?». Ahora tú dices: «Una cosita», y ella pregunta: «¿Cómo es?». Tu respuesta debería ser sencilla (roja, grande, o algún otro adjetivo que entienda y sea capaz de utilizar) para que pueda adivinarlo muy rápidamente. De lo contrario, se frustrará. Lo mejor es que sea ella quien elija lo que debes adivinar tú y así se lo pasará en grande.

◆ Si este juego le resulta demasiado complicado al principio, prueba a pedirle que busque un objeto en concreto. Cuando lo encuentre, pídele que diga: «Veo, veo; veo un _____». Por ejemplo:

> ADULTO: ¿Sabes encontrar algo rojo?
> NIÑO: Veo, veo; veo un _____ rojo.
> ADULTO: ¿Ves algo grande?
> NIÑO: Veo, veo; veo una _____ grande.

◆ A los niños les encanta decir: «Veo, veo», quizás por la repetición de sonidos.

◆ Con este juego puedes reforzar sus conocimientos sobre las partes del coche pidiéndole que te las señale: «¿Sabes encontrar el parabrisas?», o «¿Sabes encontrar el volante?».

OBJETIVO DEL JUEGO:
LA CAPACIDAD DE OBSERVACIÓN

Juegos para crear un vínculo especial

Un paseo por los colores

◆ Da un paseo por los colores con tu niño. Escoge un juguete de un determinado color y llévalo contigo.

◆ En cada habitación de la casa busca uno o dos objetos que sean del mismo color que el juguete.

◆ Habla con él sobre lo que habéis encontrado, como por ejemplo: «La corbata amarilla de papá es del mismo color que tu pelota amarilla», o «La blusa azul de mamá es del mismo color que tu bloque azul».

◆ Una forma de variar el juego es llevar la cesta de la ropa sucia u otra que tengas a mano, e ir echando dentro todos los juguetes y objetos que encontréis del mismo color.

OBJETIVO DEL JUEGO:
DISTINGUIR LOS COLORES

El conejito chiquitito

◆ Recítale este poema a tu hijo mientras lo interpretas con las manos y los dedos.

◆ Levanta tu dedo índice y el dedo corazón para hacer las orejas del conejito. Dobla el pulgar, el anular y el meñique hacia la palma de tu mano. (Estás haciendo la forma de la V con tus dedos.)

Aquí están las orejitas del conejito,
   (levanta las orejas)
y aquí está su naricita color rosa,
   (tócate el pulgar con la otra mano)
y así es como salta por la pradera
   (da saltitos con la mano)
cuando sale de su madriguera.

Así se arrastra el conejito
   (sube el conejito por tu barbilla)
cuando regresa a casa cansadito,
y dormido se queda de tanta fatiga,
   (cierra tus ojos)
con sus patitas pegadas a su barriga.
   (Acaricia el conejito.)

◆ OBJETIVO DEL JUEGO:
DIVERTIRSE

Libros y animales

◆ Reúne todos los juguetes o muñecos de tu hijo que sean animales y enséñale a hacer nuevos sonidos.

◆ Muéstrale uno, dile cómo se llama y haz el sonido que le corresponde.

◆ Muéstrale una foto o un dibujo del mismo animal, nómbralo y vuelve a hacer el sonido que le corresponde.

◆ Señala el juguete y pregúntale: «¿Qué dice el perro?», etc. (Es mejor preguntar: «¿Qué dice el animal?» en vez de «¿Qué tal está el animal?».)

◆ Coge unas cuantas revistas viejas y míralas con el niño para buscar todas las fotos que sean de animales. Recórtalas y pégalas sobre cartulinas pequeñas para hacer vuestro propio libro de animales.

OBJETIVO DEL JUEGO:
CONOCER LOS ANIMALES

Sonidos de animales

◆ A los niños de uno a dos años les fascinan los sonidos que hacen los animales, y disfrutan mucho intentando imitarles.

◆ Compra unos animalitos de plástico y muéstraselos a tu hija uno por uno, indicándole cómo se llama y qué sonido hace.

◆ Anímala para que ella también haga el sonido del animal.

◆ Recorta fotos de cada uno de los animales de plástico que tengas y pega cada foto en cartulinas pequeñas de diferentes colores. Cuando le hayas mostrado tres o cuatro animales y hayáis hecho sus sonidos, pídele que escoja la foto que corresponde a cada animal. También puedes preguntarle cómo se llama el animal y de qué color es la cartulina.

◆ Pídele que escoja una foto, encuentre el animal de plástico que le corresponde y que haga su sonido.

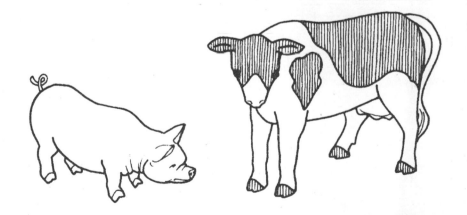

◆ OBJETIVO DEL JUEGO:
CONOCER LOS ANIMALES

Yo tengo

◆ Cuanto más sepa tu pequeño de su cuerpo, mejor comprenderá lo que es capaz de hacer.

◆ Recítale este poema, e interprétalo para que lo entienda bien.

Tengo dos ojos con los que puedo ver,
     (tócate los ojos con las manos)
y dos pies con los que me encanta correr.
     (corre sin moverte de donde estás)
Tengo dos manos con las que saludar,
     (saluda con ambas manos)
nariz sólo tengo una, para poder olisquear.
     (Tócate la nariz.)
Dos orejas tengo que me sirven para oír,
     (tócate las orejas)
y una buena lengua con la cual «Hola» decir.
     (Señala tu lengua.)
Tengo dos mejillas que todos quieren pellizcar,
     (pellízcale suavemente las mejillas),
pero yo salgo corriendo cuando
hacia mí les veo andar.
     (Ponte a correr por toda
     la habitación.)

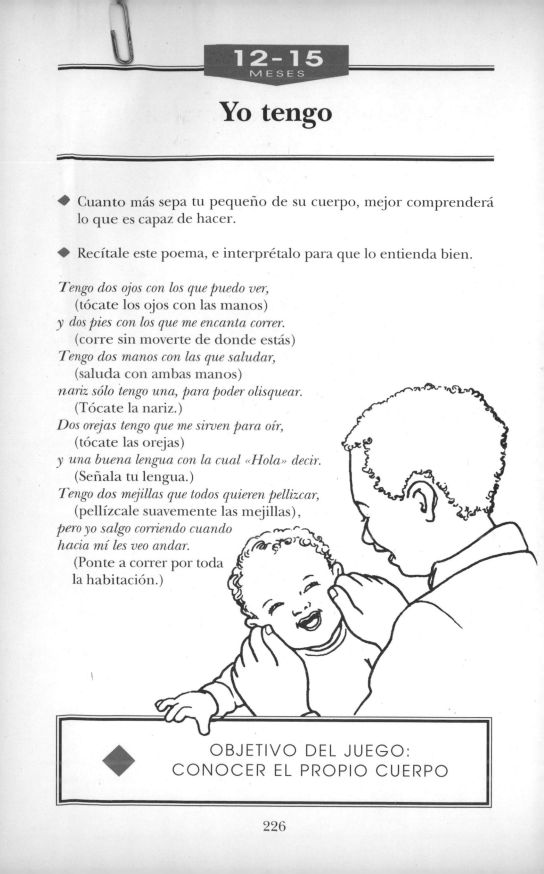

OBJETIVO DEL JUEGO:
CONOCER EL PROPIO CUERPO

¿Qué haremos con este bebé?

◆ Haz botar a tu pequeño sobre tus rodillas mientras le recitas este poema.

> *¿Qué haremos con este bebé?*
> *¿Qué haremos con este bebé?*
> *¿Qué haremos con este bebé?*
> *A papá llamaremos para que se lo lleve.*
>   (Sujétalo bien y abre tus piernas
>   para que se deslice hasta el suelo.)
>
> *¿Qué haremos con este bebé?*
> *¿Qué haremos con este bebé?*
> *¿Qué haremos con este bebé?*
> *A mamá llamaremos para que se lo lleve.*
>   (Levántalo y dale un abrazo muy fuerte.)

◆ Cambia el final del tercer verso, sustituyendo «este bebé» por el nombre de tu hijo. También puedes cambiar el último verso y decir: «Hacerle cosquillas para que gorjee».

OBJETIVO DEL JUEGO:
FOMENTAR LA CONFIANZA

Un juego para compartir

◆ Siéntate en el suelo delante de tu hija.

◆ Dale uno de sus muñecos favoritos y dile: «Esto es para ti».

◆ Cuando ya lo haya tocado, mirado y explorado todo el tiempo que ha querido, dile: «¿Me lo devuelves, por favor?».

◆ Tu pequeña te lo dará.

◆ Repite el juego, cada vez con un objeto diferente y siempre dándole tiempo para que sacie su curiosidad.

◆ OBJETIVO DEL JUEGO:
APRENDER A COMPARTIR

Dos golondrinas

◆ Recita este poema y al mismo tiempo interprétalo con tus pulgares. Anima a tu niño para que en la segunda ronda él también participe imitando tus gestos.

Dos golondrinas sobre una colina,
(cierra tus manos y levanta los pulgares)
uno era Juan,
(mueve tu pulgar derecho adelante)
y la otra era Fina.
(mueve tu pulgar izquierdo adelante)
Vete a volar, Juan,
(agita tu pulgar derecho como si fuera un pájaro volando,
y escóndelo detrás de tu espalda.)
vete a volar, Fina.
(Agita tu pulgar izquierdo y escóndelo detrás de tu espalda.)
Por favor, regresa, Juan,
(vuelve a poner el pulgar derecho delante de ti)
por favor, regresa, Fina.
(Saca tu pulgar izquierdo de detrás de la espalda y ponlo
delante de ti.)

◆ Puedes mojar tus pulgares un poco y enganchar trocitos de papel higiénico sobre ellos para que parezcan pájaros.

◆ También puedes usar títeres de dedo para interpretar este poema.

 OBJETIVO DEL JUEGO:
APRENDER A IMITAR

Todo se mueve

◆ Siéntate en el suelo con tu niño delante de ti. Recítale este poema mientras vas moviendo los dedos de los pies. Cuando llegues al último verso, quédate quieta.

> *Mueve los deditos de tus pies, uno, dos, tres,*
> *¡muy bien! y ahora, muévelos al revés.*
> *Ahora diles a tus pies que no se muevan,*
> *y quédate quieto mientras ellos no juegan.*

◆ En el primer verso, mueve tus dedos hacia adelante y en el segundo, muévelos hacia atrás (doblándolos hacia ti). Cuando digas: «Ahora diles a tus pies que no se muevan», menea tu dedo índice y frunce el ceño.

◆ Repite el poema sustituyendo «dedos de los pies» por diferentes partes del cuerpo: dedos de las manos, codos, orejas, lengua y nariz.

OBJETIVO DEL JUEGO:
CONOCER EL PROPIO CUERPO

Las primeras volteretas

◆ Necesitarás una superficie firme pero suave para estas primeras volteretas: si puedes, consigue una colchoneta como las que usan en los gimnasios. Debe ser una superficie segura, ya que quizás tu hija intente dar volteretas cuando tú no estés en la habitación.

◆ Dile que baje la cabeza para mirarse el ombligo. Cuando lo haga, aprieta suavemente su barbilla contra su pecho. Debe permanecer en esta posición.

◆ Ahora sujeta y levanta sus caderas un poco y ayúdala para que ruede hacia adelante.

◆ Asegúrate de que su espalda está curvada y su barbilla está apoyada contra su pecho cada vez que da una voltereta.

◆ Continúa con este ejercicio y cada vez que vayas a ayudarla a dar la vuelta hacia adelante, di: «En sus marcas, listos, ¡FUERA!».

OBJETIVO DEL JUEGO:
LA COORDINACIÓN

Fíjate en los detalles

◆ Siéntate a una mesa con tu niño y dile que quieres hacer algo especial con él.

◆ Coge una naranja grande y hermosa, apriétala, frótala y mírala con atención. Explícale cómo se llama esta fruta y de qué color es.

◆ Deja que él coja la naranja. Pídele que la huela y que la explore con sus manos. Utiliza adjetivos sencillos para describir su olor y su tacto.

◆ Pela la naranja con las manos y después ábrela por la mitad. Enséñale que la naranja se compone de gajos, y que cada uno de los gajos tiene una membrana y semillas. Muéstraselas para que entienda lo que estás diciendo.

◆ Cómete un gajo y pregúntale si quiere uno. La mandarina también funciona de maravilla para esta actividad.

◆ OBJETIVO DEL JUEGO:
LA CAPACIDAD DE OBSERVACIÓN

Diviértete con una linterna

◆ Siéntate en el suelo de una habitación con tu pequeña. Enciende la linterna e ilumina diferentes partes de la habitación (la pared, la puerta, debajo de la cama, etc.) con ella.

◆ Cada vez que ilumines un objeto, dile cómo se llama: «Ésta es la pared», o «Éste es el pomo de la puerta».

◆ Enséñale cómo apagar y encender la linterna.

◆ Deja que sea ella quien enfoque los objetos y te diga cómo se llaman.

◆ Dale instrucciones sobre lo que debe hacer: «Ilumina el techo», o «Ilumina la ventana». Aunque quizá no sea capaz de decir las palabras ella sola, sí entenderá lo que le estás diciendo.

◆ Pídele que ilumine la pared. Para hacer la sombra de un pájaro, cruza tus muñecas con las palmas de tus manos vueltas hacia ti. Extiende tus dedos para hacer las alas y une las puntas de tus pulgares para hacer la cabeza del pájaro.

◆ Mueve tus manos para hacer que el pájaro «vuele».

◆ Sujeta la linterna con una mano mientras con la otra vas pasando las páginas de un libro o una revista. Le puedes pedir a ella que sujete la linterna mientras tú pasas las páginas y vas señalándole cosas de interés. También podéis ir a buscar tesoros; todo depende de vuestra imaginación.

 OBJETIVO DEL JUEGO:
LA CAPACIDAD DE PENSAR

¡A divertirse con los pies!

◆ Si hace un día soleado y la temperatura es agradable, sal con tu hijo para practicar este juego.

◆ Coge un cubo de plástico pequeño y llénalo con agua; añádele un poquito de jabón líquido.

◆ Pídele a tu pequeño que se quite los zapatos y los calcetines él solito. Dile que vais a jugar a algo muy especial con sus pies.

◆ Mete tu mano en el agua jabonosa y échale un poco sobre uno de sus pies para darle un masaje ligero.

◆ Mientras le vas dando el masaje, toca las diferentes partes de su pie y nombra cada una de ellas: los dedos, el tobillo, el talón, el empeine, la planta y la piel.

◆ Seca su pie con una toallita y repite el mismo juego con el otro pie. Al acabar, si tiene ganas de jugar aún más, deja que él te dé un masaje en los pies y anímale para que nombre todas las partes del pie que pueda.

OBJETIVO DEL JUEGO:
CONOCER EL PROPIO CUERPO

Juguemos al balancín

◆ Siéntate en el suelo delante de tu hija. Pon tus pantorrillas sobre sus tobillos.

◆ Sujeta sus manos con fuerza y balancéate hacia adelante y hacia atrás mientras le recitas este poema popular.

> *Aserrín, aserrán,*
> *los maderos de San Juan,*
> *los de alante corren mucho,*
> *los de atrás se quedarán.*
> *Aserrín, aserrán.*

◆ Cuanto más te inclines para adelante y para atrás, mejor será el ejercicio para ambas.

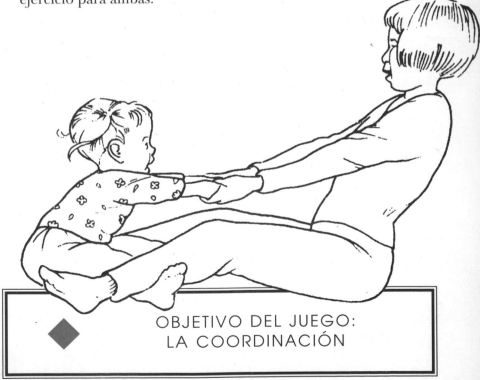

OBJETIVO DEL JUEGO:
LA COORDINACIÓN

Pipirigallo

◆ Sienta a tu niño sobre tus rodillas mirando hacia ti.

◆ Sujeta sus manos mientras vas botando tus rodillas y le recitas este poema popular.

> *Pipirigallo,*
> *monta a caballo,*
> *con las espuelas*
> *de mi tocayo.*

◆ Puedes sustituir «tocayo» por el nombre de tu hijo.

◆ Mientras le sujetas las manos con firmeza, bota tus rodillas cada vez más alto mientras le dices:

> *¡Arre, caballo, arre,*
> *que no quiero llegar tarde!*

◆ Repite esto dos veces más y a la tercera, di: «Ep, ep, ep, ¡PARA!».

OBJETIVO DEL JUEGO:
DIVERTIRSE

La arañita juguetona

◆ Recita el poema «La arañita juguetona» a tu hija y enséñale a usar sus brazos y manos para interpretarlo.

> *La arañita juguetona por el surtidor subió,*
> (mueve tus dedos para arriba en el aire
> como si fueran las patas de la araña)
> *mas, ¡ay!, al llover de repente, el surtidor la escupió.*
> (Mueve tus dedos para abajo
> como si fuera la lluvia cayendo.)
> *Muy pronto salió el sol y los charcos de lluvia secó,*
> (dibuja grandes círculos con las manos)
> *y de nuevo la arañita por el surtidor trepó.*

◆ Si le haces unas cuantas demostraciones para que vea cómo tiene que mover las manos, muy pronto verás con qué ganas se pone a interpretar el poema.

◆ Este poema popular también es muy útil para explicar los conceptos de subir y bajar.

◆ OBJETIVO DEL JUEGO:
LAS APTITUDES LINGÜÍSTICAS

¿Dónde vive el bebé?

◆ Sienta a tu hijo en tu regazo o en el suelo delante de ti.

◆ Sujeta su mano con la palma hacia arriba mientras le recitas este poema.

¿Dónde vive el bebé?
¿Dónde vive el bebé?
Pues por aquí, por allá,
por aquí, por allá,
y allá arriba en su casa.

◆ Con tu dedo índice ve dando vueltas sobre la palma de su mano. Cuando llegues a «allá arriba en su casa», pasea tus dedos lentamente a lo largo de su brazo hasta que llegues a su cuello para hacerle cosquillas.

◆ Cambia de papeles y ahora deja que sea él quien use sus manos para interpretar el poema.

OBJETIVO DEL JUEGO:
DIVERTIRSE

Adivina lo que se esconde

◆ Consigue un cuaderno de espiral que se abra como un libro. El tamaño más adecuado es de 10 x 20 cm.

◆ Coge unas cuantas revistas viejas y recorta fotos de objetos familiares. Pega una foto a cada segunda página, dejando la otra en blanco. Si el libro lo tienes abierto ante ti, la página con la foto debería estar a la derecha.

◆ Recorta la página en blanco que tienes a la izquierda en unas cuantas tiras horizontales (unas seis tiras, por ejemplo). Comienza a cortar las tiras desde el margen izquierdo hasta la espiral.

◆ De esta manera, tu hijo podrá cubrir la foto de la página derecha con las tiras de la izquierda. Mira el libro con él y pasa una tira a la vez, para ir mostrando la foto paulatinamente. Pregúntale si sabe adivinar qué representa la foto cada vez que pases una tira.

OBJETIVO DEL JUEGO:
LA CAPACIDAD DE PENSAR

Los sentimientos

◆ Coge unas cuantas revistas viejas que tengas por casa y busca fotos de personas cuyas caras expresen sentimientos de alegría, tristeza, risa, rabia, dolor, etc. Las revistas del corazón o de reportajes son muy buenas; evita las imágenes en las que se vean escenas violentas.

◆ Recorta y pega estas fotos en tarjetas de cartulina. Haz un agujero en el margen izquierdo superior de cada cartulina y átalas con una cinta. Ya tienes un libro especial que puedes compartir con tu hija.

◆ Mira las fotos con ella y háblale sobre cada una de las expresiones.

◆ Si ves caras que ríen, ríete y anímale para que también lo haga.

◆ Si ves caras que lloran, finge que lloras y anímale para que haga lo mismo que tú.

◆ Es muy importante que los niños pequeños puedan expresar sus sentimientos con total libertad.

◆ Muy pronto verás que tu hija se entretiene sola mirando este libro.

OBJETIVO DEL JUEGO:
LA CONDUCTA SOCIAL

Juegos para bañarse y vestirse

La boca comilona

◆ Habla con tu niño en voz baja y pausada, y dale tiempo para que te conteste. Si tiene la oportunidad de responder, tendrá más ganas de participar en una conversación contigo.

◆ Juega a tocar y nombrar partes de su cara, describiéndolas con un adjetivo divertido que defina su función. Toca su boca y dile:

> *Ésta es la boca comilona de mi niño,*
> *ésta es la boca comilona de mi niño,*
> *ésta es la boca comilona de mi niño,*
> *¿Qué tal se encuentra hoy?*

◆ Toca otras facciones de su cara, diciendo: «ojos miradores», «nariz respiradora», «ceño fruncidor» y «barbilla bamboleante».

◆ Invéntate otras descripciones para diferentes partes del cuerpo: «dedos tocadores», «dedos de los pies meneadores», etc.

◆ OBJETIVO DEL JUEGO:
LAS APTITUDES LINGÜÍSTICAS

Es la hora de vestirse

◆ Es muy importante repetir los sonidos que hacen los niños de esta edad cuando empiezan a hablar, pues les anima a continuar con sus esfuerzos.

◆ Al cambiar la inflexión y la intensidad de tu voz, estimulas su desarrollo lingüístico.

◆ Mientras vistes a tu niña, explícale lo que estás haciendo con frases sencillas de dos o tres palabras.

◆ Por ejemplo, cuando estés cambiando su pañal, dile: «Cambiar, cambiar, cambiar», o «Pañal fuera, pañal puesto».

◆ Cambia el ritmo de las palabras. Por ejemplo, puedes decir: «Ma, ma, ma, te quiero» muy rápido o muy despacio. También puedes crear un ritmo sincopado, o decir la misma frase una vez rápido y otra vez lento, una vez en voz muy alta y otra en voz baja.

◆ El hecho de repetir los sonidos y palabras que dice tu hija y añadir una o dos palabras más, es una manera muy eficaz de desarrollar su vocabulario.

OBJETIVO DEL JUEGO:
LAS APTITUDES LINGÜÍSTICAS

Ya viene la lluvia

◆ La hora del baño siempre es motivo de alegría para los pequeños; si quieres que tu hijo disfrute aún más, recítale e interpreta este poema que también puedes cantar al son de «Ya viene la vieja».

> *Ya viene la lluvia, con su chip, chip, chap.*
>> (Chapotea en la bañera con las puntas de los dedos.)
> *Ya viene la lluvia, con su plic, plic, plac.*
>> (Escurre la manopla sobre la cabeza de tu hijo
>> para que le caigan gotitas.)
> *Ya viene la lluvia en siri miri,*
>> (tamborilea el agua moviendo tus dedos rápidamente
>> por la superficie)
> *ya viene la lluvia pa' lavarme a mí.*
>> (Lava a tu hijo con la manopla.)

◆ Cuando hayáis jugado varias veces, deja que tu hijo interprete el poema.

◆ Una vez que sepa hacer los diferentes movimientos con los dedos, anímale para que diga las palabras que acompañan sus gestos: «chip, chip, chap», «plic, plic, plac» y «siri miri».

OBJETIVO DEL JUEGO:
LAS APTITUDES LINGÜÍSTICAS

Despertad, pies

◆ Practica este juego con tu pequeña por la mañana. Coge los dedos de sus pies y sacúdelos suavemente mientras le cantas esta canción al son de «Fray Santiago».

> *Despertad, pies,*
> *despertad, pies,*
> *buenos días,*
> *buenos días.*
> *¿Cómo habéis dormido, cómo habéis dormido?*
> *Os quiero, os quiero.*

◆ Continúa cantando esta canción mientras vas despertando otras partes de su cuerpo.

> *Despertad, dedos....*
> *Despierta, ombligo...*
> *Despertad, hombros...*
> *Despertad, codos...*
> *Despierta, nariz....*

◆ Si siempre sigues el mismo orden, tu hija llegará a anticipar la parte del cuerpo que sacudirás suavemente y comenzará a moverla por su propia cuenta.

OBJETIVO DEL JUEGO:
CONOCER EL PROPIO CUERPO

Las campanas de Montalbán

◆ Este popular juego para percibir el ritmo y el movimiento es muy adecuado para la hora del baño.

Las campanas de Montalbán,
tilín, tilín,
tilín, tilán,
unas vienen y otras van.
Las que no tienen badajo,
van abajo, van abajo.

◆ Comienza lavando los brazos de tu pequeño. Sube por su brazo con la pastilla de jabón o la manopla enjabonada mientras recitas los primeros versos. Cuando llegues a «Las que no tienen badajo», haz una pausa y después baja al agua con un pequeño salpicón cuando digas: «van abajo, van abajo».

◆ OBJETIVO DEL JUEGO:
LA RELACIÓN DE APEGO

¿Dónde está tu codo?

◆ Uno de los mejores momentos para intentar enseñar a los niños cómo se llaman las partes de su cuerpo es cuando se les está bañando o vistiendo.

◆ Toca diferentes partes de su cuerpo y nombra cada una de ellas al mismo tiempo. Pídele que repita lo que tú dices.

◆ Canta esta canción al son de «Pulgarcito» mientras vas lavando o vistiendo aquella parte del cuerpo.

> *El codito, el codito,*
> *¿dónde está, dónde está?*
> *Vamos a lavarlo y vamos a dejarlo*
> *bien limpio, bien limpio.*

◆ Si estás cantando esta canción mientras le vistes, cambia la letra por:

> *El codito, el codito,*
> *¿dónde está, dónde está?*
> *Vamos a vestirlo, vamos a vestirlo,*
> *con gracia, con gracia.*

OBJETIVO DEL JUEGO:
CONOCER EL PROPIO CUERPO

El poema del cuerpo

◆ Si dispones de tiempo para jugar con tu hija mientras la vistes, puedes aprovechar estos momentos para enseñarle a descubrir e identificar lo que hace cada parte de su cuerpo.

◆ Recítale este poema mientras realizas las acciones que corresponden a cada verso.

> *¿Dónde están tus ojos?*
>   (Mira hacia los lados y hacia arriba y abajo
>   antes de cubrirlos con las manos.)
> *¿Dónde están tus pies?*
>   (Corre sin moverte del sitio donde estás.)
> *¿Dónde están tus manos?*
>   (Levanta tus manos y saluda con ellas.)
> *¿Y tu naricita dónde está?*
>   (Olisquea con ella mientras la tocas con un dedo.)
> *¿Dónde están tus orejas?*
>   (Pon una mano a cada lado de tus orejas
>   como para oír mejor.)
> *¿Dónde está tu barbilla?*
>   (Tócate la barbilla.)
> *¿Y tus mejillas dónde están?*
>   (Pellízcale las mejillas muy suavemente.)
> *¿Quieres empezar de nuevo?*
>   (Dale un abrazo muy cariñoso.)

◆ Repite el poema, pero esta vez intenta que ella imite tus gestos.

OBJETIVO DEL JUEGO:
CONOCER EL PROPIO CUERPO

Había un hombrecito

◆ Siéntate delante de tu niño y recita este poema popular al mismo tiempo que lo interpretas.

Había un hombrecito que comía un pastelito.
　　(Tócale la boca.)
Cuando se le acabó, por el puente se marchó.
　　(Camina tus dedos sobre su cabeza.)
Con su barriguita llena,
　　(tócale la barriga)
y su capa y sombrero,
　　(levanta sus manos para que se toque la cabeza)
del gordo hombrecito no se veía más que el trasero.
　　(Dale unas palmaditas en el trasero.)

OBJETIVO DEL JUEGO:
DIVERTIRSE

Mira la lluvia

◆ Dale un vaso de plástico lleno de agua a tu hija mientras está sentada en la bañera.

◆ Sujeta una espumadera o un colador delante de ella y dile que vierta el agua del vaso dentro de cualquiera de estos dos utensilios de cocina.

◆ Ahora deja que sea ella quien sujete el colador o la espumadera mientras tú viertes «la lluvia».

◆ Continúa jugando turnándote para verter el agua o sujetar el colador.

◆ Mientras viertes el agua, recita esta canción tradicional.

Que llueva, que llueva,
la Virgen de la Cueva,
los pajaritos cantan,
las nubes se levantan,
¡que sí, que no!
que caiga un chaparrón,
que toquen los tambores
porrón, porrón, pon, pon.

OBJETIVO DEL JUEGO:
LA COORDINACIÓN

El minero en la mina

◆ Por lo general, a los niños de esta edad no les gusta que se les quite la camiseta tirando de ella hacia arriba, pues es como dejarlos
en la oscuridad sin razón alguna, cosa que les inquieta. Quizás
este poema haga que el proceso sea más divertido para tu pequeño.

◆ Primero tira de las mangas para liberar su brazos, y cuando ya sólo
te falte quitarle la camiseta por la cabeza, recítale este poema.

El minero en la mina
>   (tira de la camiseta hacia arriba, a punto
>   de quitársela)

hace toc, toc, toc.
>   (Da tres golpecitos suaves sobre su cabe
>   za a través de la camiseta.)

Ya sale, ya sale, de la mina oscura.
>   (Tira de la camiseta y salúdale: «Hola,
>   minerito».)

> OBJETIVO DEL JUEGO:
> APRENDER A VESTIRSE Y DESVESTIRSE

251

Las mañanitas

◆ Si te despiertas antes que tu hija, cántale «Las mañanitas» para empezar el día con buen pie.

> *Ya viene amaneciendo,*
> *ya la luna se marchó,*
> *levántate, niña mía,*
> *mira que ya salió el sol.*
>
> *Despierta, mi bien, despierta,*
> *mira que ya amaneció,*
> *ya los pajaritos cantan,*
> *la luna ya se escondió.*

◆ En vez de decir «niña mía» o «mi bien», puedes usar su nombre («mi María»).

◆ Puedes inventarte más versos con la misma melodía si te apetece.

◆ OBJETIVO DEL JUEGO:
LAS APTITUDES LINGÜÍSTICAS

Pegatinas para el cuerpo

◆ Los niños de esta edad disfrutan muchísimo corriendo desnudos por toda la casa después del baño.

◆ Este juego servirá para que tu hijo sea más consciente de su cuerpo.

◆ Consigue pegatinas de animales o de caras sonrientes que le gusten.

◆ Dale una y enséñale cómo pegarla a su cuerpo.

◆ Dale otra y dile que se la pegue a su barriga y muéstrale cómo sacar y meter su barriga dependiendo de cómo respire.

◆ Dale otra pegatina para que se la pegue a la mejilla. Infla la mejilla como si hicieras buches y después chupa para adentro. Ahora pídele a él que te imite.

◆ Otras partes del cuerpo donde podría pegarse pegatinas serían:

Los dedos de los pies, que podría menear.
Los codos, que podría mover para arriba y para abajo.
Las palmas de las manos, que podría abrir y cerrar.

OBJETIVO DEL JUEGO:
CONOCER EL PROPIO CUERPO

Canciones para la bañera

◆ Es muy divertido cantar en la bañera, como tu hija y tú comprobaréis.

◆ Canta «Pim-Pom» mientras tu hija chapotea en la bañera. Así podrá practicar algunos gestos cotidianos y repetir palabras que ya conoce.

> *Pim-Pom es un muñeco muy guapo y de cartón.*
> (Mueve la cabeza y las manos hacia los lados.)
> *Se lava la carita con agua y con jabón.*
> (Frota las manos o la manopla contra la cara.)
>
> *Se desenreda el pelo con peine de marfil*
> (haz el gesto de peinarte)
> *y aunque se dé tirones no llora ni hace así.*
> (Finge que lloras y pataleas.)

◆ Puedes inventarte otros versos con la misma melodía para incluir otras partes del cuerpo.

> *Con su manopla frota las manos y rodillas,*
> (finge que frotas las manos y rodillas)
> *y repasa todo el cuerpo*
> (finge que lavas la barriga y los pies)
> *haciendo maravillas.*

◆ Canta otras canciones que tu hija conozca y que sean apropiadas para el baño, como «Cucú, cantaba la rana».

OBJETIVO DEL JUEGO:
LA RELACIÓN DE APEGO

Una, dola, tela, catola

◆ Este juego hará más divertido el momento de vestir a tu pequeña.

◆ Mientras la vas vistiendo tras el baño, recítale este poema popular.

> *Una, dola, tela, catola, quila, quilete,*
> *estaba la reina en su gabinete.*
> *Dijo el rey:*
> *—No tengo camisa.*
> *Dijo la reina:*
> *—Yo tengo una.*
> *Dijo el rey:*
> *—Préstame una.*
> *Dijo la reina:*
> *—No tengo ninguna.*

◆ Cuando la estés vistiendo, recita el diálogo entre el rey y la reina y cuando ya estés en el último botón, recita la última frase con regocijo y ríete con tu hija mientras la abrazas.

◆ Puedes aprovechar este mismo poema para mencionar todas las piezas de ropa que le pones: la camiseta, la blusa, los pantalones, el jersey, los calcetines, etc.

◆ OBJETIVO DEL JUEGO:
LAS APTITUDES LINGÜÍSTICAS

Atrapa las pompas de jabón

◆ Jugar a soplar y atrapar las pompas de jabón es una actividad muy divertida y muy buena para desarrollar la coordinación de los niños pequeños. Aquí te proponemos varias actividades que podrías probar con tu hijo.

◆ Sóplale unas cuantas pompas de jabón mientras está en la bañera.

◆ Enséñale a soplar la pompa por debajo para que se mantenga en el aire.

◆ Anímale a atrapar las pompas de jabón, primero con las manos secas y después con las manos mojadas; así se dará cuenta de que el resultado es diferente.

◆ Intenta aplastar una pompa entre las manos.

◆ Pídele que reviente una pompa de jabón con un dedo.

OBJETIVO DEL JUEGO:
LA COORDINACIÓN ÓCULO-MANUAL

¡Fuera los zapatos!

◆ Desvestir a tu hijo puede convertirse en una actividad divertida si dispones de tiempo para ello.

◆ Normalmente, lo primero que los niños se quieren quitar son los zapatos. Facilítale esta tarea aflojando los cordones y tirando de los zapatos para que el tobillo quede libre; así tu pequeño sólo tendrá que deslizar la punta de los pies fuera de sus zapatos.

◆ Haz lo mismo con los calcetines.

◆ Anímale para que se vaya desvistiendo por su cuenta. Mientras va aprendiendo a quitarse los zapatos y calcetines, enséñale las palabras adecuadas para describir lo que está haciendo. Acompaña esta actividad con el siguiente poema adaptado de uno conocido:

> *Un diablo se quitó un zapato,*
> *otro diablo lo recogió,*
> *y otro diablo se preguntaba:*
> *¿Cómo diablos se le cayó?*

◆ En la segunda ronda, puedes sustituir «zapato» por calcetín, o por cualquier otra prenda de ropa que se quite.

OBJETIVO DEL JUEGO:
LA AUTONOMÍA

La muñeca nadadora

◆ Cualquier actividad que implique jugar en el agua resulta maravillosa para los niños de esta edad. Aprovecha su hora del baño para practicar este juego con tu pequeña.

◆ Consigue una muñeca de hule con brazos y piernas movibles y deja que tu hija le enseñe a nadar.

◆ Muéstrale cómo tiene que mover los brazos y las piernas de la muñeca y pídele que te señale estas dos partes del cuerpo para ver si ha entendido lo que le estás diciendo.

◆ Dale instrucciones para que mueva la muñeca en el agua de diversas maneras: por ejemplo, primero dile que haga chapotear la muñeca; después, que agite sus piernas y, por último, que mueva sus bracitos.

◆ Mientras ella va moviendo la muñeca por el agua como si estuviera nadando, recítale este poema. También puedes interpretarlo antes con la muñeca para que ella intente imitar tus movimientos.

> *Nada, muñequita, nada sin parar,*
> *que una vuelta a la bañera nadando has de dar.*
>   (Finge que la muñeca da la vuelta a la bañera.)
> *Chip, chap, chip, chap, chapotea, mi bonita,*
>   (haz botar la muñeca sobre el agua para que salpique)
> *glu, glu, glu, tragas agua, pobrecita.*
>   (Húndela unos instantes, y tose cuando la saques.)

OBJETIVO DEL JUEGO:
CONOCER EL PROPIO CUERPO

¿Qué llevas puesto?

◆ Aunque los niños suelen ser muy inquietos a esta edad, puedes intentar distraer al tuyo mientras le vistes, y aprovechar de paso esta oportunidad para enseñarle palabras relacionadas con su ropa.

◆ Mientras le estás vistiendo, descríbele el color de cada una de las prendas que le pones.

◆ Recítale este poema sobre ropa:

> *María tiene un suéter, y es de color azul,*
> *María tiene un suéter, y es de color...*
>   (Deja que sea tu hijo quien diga «azul».)
> *Juanito tiene una camisa y es de color blanco,*
> *Juanito tiene una camisa, y es de color...*
>   (Deja que sea tu hijo quien diga «blanco».)

◆ También puedes cantarle los versos de la canción popular «La tarara» en los que menciona sus pantalones, su bata de cola y su vestido blanco.

◆ OBJETIVO DEL JUEGO:
LAS APTITUDES LINGÜÍSTICAS

Aquí está el mar

◆ Recítale este poema a tu pequeña mientras con las manos haces los movimientos correspondientes a cada verso.

Aquí está el mar, el mar ondulado,
(junta las dos manos y muévelas haciendo eses)
aquí está mi barco, mi barco anclado,
(haz un barquito haciendo una cuenca con tus manos)
y aquí estoy yo, mirando el cielo despejado.
(Señálate mientras miras hacia el cielo.)
Todos los pececillos en el fondo del mar
(señala hacia abajo)
bailan y mueven sus colas sin cesar
(junta tus manos y muévelas como
si nadaran)
*hasta que ¡ZAS! los pececillos se esconden
pa' jugar.*
(Esconde tus manos de repente
detrás de tu espalda.)

◆ Repite el poema y los gestos unas
cuantas veces, y después pídele
que te imite.

OBJETIVO DEL JUEGO:
LA COORDINACIÓN

260

Yo me lavo los dientes

◆ Este juego sirve para enseñarle a tu pequeño a saber cuidar de sí mismo.

> *Yo me lavo los dientes por la mañana,*
> *tras comer me los lavo también,*
> *por la noche me los vuelvo a lavar,*
> *y mañana vuelvo a empezar.*

◆ Recítale este poema mientras finges que te estás lavando los dientes, y ayúdale después a lavárselos. Asegúrate de que el cepillo sea adecuado para su edad y que no le haga daño cuando se frote las encías.

◆ Incluye más versos, y cada vez que recites uno diferente, haz los gestos que le corresponden.

> *Yo me peino el pelo...*
> *Yo me lavo la cara...*
> *Yo me lavo las manos...*
> *Yo me bebo la leche...*

◆ Invéntate todos los versos que quieras que tengan que ver con sus hábitos cotidianos.

OBJETIVO DEL JUEGO:
LA AUTONOMÍA

¿Flota o se hunde?

◆ Las bañeras son ideales para que tu pequeña haga experimentos y vea qué cosas se hunden y qué cosas flotan.

◆ Reúne varios objetos para practicar este juego: esponjas, globos inflados, pajitas y unas cuantas botellas de plástico.

◆ Coge los objetos de uno en uno y antes de ponerlo en el agua, hazle esta pregunta: «Se hundirá o flotará?».

◆ Dáselo y deja que lo ponga en el agua. Pregúntale ahora: «¿Se hundió o flotó?». Muy pronto entenderá el significado de estas palabras.

◆ Otro juguete ideal para la bañera son las pelotas de ping-pong. Dale una a tu hija y observa si es capaz de sumergirla bajo el agua y aguantarla allí; verá que no resulta nada fácil, y se divertirá mucho cada vez que la pelota vuelva a salir a la superficie. CUIDADO: no dejes que se la meta en la boca.

**OBJETIVO DEL JUEGO:
LA CAPACIDAD DE PENSAR**

Juegos con los dedos de las manos y los pies

Un rompecabezas original

◆ Escoge unos cuantos moldes de galleta cuyas formas sean de animales o de árboles de Navidad (o cualquier otra forma que tu pequeña reconozca).

◆ Guarda las bandejas de porexpan (las que sirven para empaquetar la carne o el pollo). Coge un molde de galleta y apriétalo contra la bandeja.

◆ Cuando la forma quede marcada sobre la superficie del porexpan, corta la forma con la punta de un cuchillo afilado sin dañar el resto de la bandeja. No dejes que tu hija vea cómo haces esto para evitar que lo pruebe por su cuenta. Ahora dale la forma recortada y la bandeja, y enséñale cómo encajar la pieza.

◆ Pon delante de ella todas las piezas recortadas y todas las bandejas con sus huecos, y observa cómo se concentra para encajar cada pieza en la bandeja correspondiente.

◆ Cuando veas que es capaz de encajar todas las figuras correctamente, recorta varias formas de la misma bandeja y deja que pruebe a encajarlas.

OBJETIVO DEL JUEGO:
MONTAR UN ROMPECABEZAS

Mira cómo cae

◆ Tu niño aprenderá a coger un objeto mucho antes de saber cómo soltarlo; puedes ayudarle a practicar esta habilidad con este juego.

◆ Una buena altura desde la cual soltar objetos es su silla alta; siéntalo allí para realizar estos experimentos.

◆ Pon varios objetos sobre su bandeja o sobre una mesa que quede delante de él. Los objetos deberían ser de diferentes tamaños y peso.

◆ Dale plumas, tapas de plástico, bloques, pelotas de ping-pong y otras cosas que hacen ruido cuando caen al suelo.

◆ Este juego hará que tu pequeño disfrute soltando las cosas.

◆ OBJETIVO DEL JUEGO:
SUJETAR Y SOLTAR OBJETOS

Los cerditos

◆ Recita este divertido poema a tu hija e interprétalo con las manos.

El cerdito Moncho y el cerdito Pancho
   (levanta los dedos índices de ambas manos)
pasaban mucha hambre en el corral del rancho.
   (Frótate el estómago.)
Cuando con la comida llegó el granjero,
   (menea los dedos índices para adelante y para atrás)
los dos se zambulleron en su comedero.
   (Junta las dos manos para hacer el gesto de tirarse adentro.)

El cerdito Moncho y el cerdito Pancho
   (levanta los dedos índices de ambas manos)
eran juguetones y traviesos en el rancho.
   (Menea tus dedos índices para adelante y para atrás.)
Todo el día se revolcaban en el lodo,
   (mueve las dos manos a manera de rodillo)
brincando y brincando lo ensuciaban todo,
   (pon un puño sobre el otro como si hicieras una torre)
pero de noche se acostaban como dos angelitos
y sobre la paja dormían sonrosaditos.
   (Junta las dos palmas de tus manos y ponlas a un lado
   de tu cabeza mientras vas cerrando los ojos.)

◆ Repite el poema, pero esta vez coge las manos de tu pequeña entre las tuyas y guía sus movimientos en la interpretación del relato.

◆ Muy pronto ella podrá imitar todos tus gestos.

 OBJETIVO DEL JUEGO:
APRENDER A IMITAR

La guarida del zorro

◆ Sienta a tu hijo en tu regazo, o siéntate en el suelo delante de él.

◆ Cierra el puño con la mano y dile que dentro está la guarida del zorro.

◆ Con la otra mano, guía su dedo índice hasta que se encuentre delante de los nudillos en medio de tu mano cerrada. Sugiérele que diga: «pom, pom», mientras golpea tu puño con su dedito.

◆ Ahora abre tu mano y dile: «¡El zorro no está aquí. Está royendo un hueso delante de ti!».

◆ Finge que le mordisqueas el dedo índice y verás los chillidos de risa que suelta.

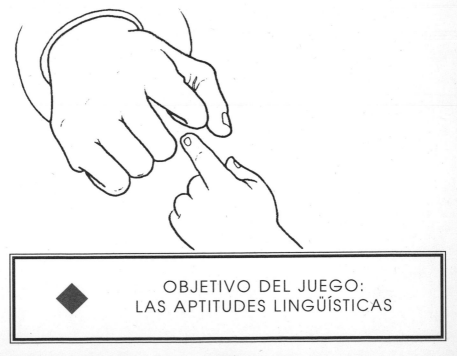

◆ OBJETIVO DEL JUEGO:
LAS APTITUDES LINGÜÍSTICAS

¿Ves esta araña?

◆ Este juego con los dedos es muy divertido tanto para tu hija como para ti. Mientras le recitas este poema, camina tus dedos a lo largo de sus brazos y piernas como si fueras una araña trepando.

La araña Mari Pili por la pared trepaba
(camina tus dedos lentamente a lo largo de su brazo)
cuando la pobre tropezó y resbaló por donde andaba.
(Camina tus dedos hacia abajo rápidamente.)
Mira la arañita dando tumbos al revés;
(baja tus dedos por su pierna dando saltitos)
pobre Mari Pili, espanzurrada a tus pies.
(Para tus dedos delante de sus pies.)

OBJETIVO DEL JUEGO:
DIVERTIRSE

Conversación entre dos dedos

◆ Este juego es ideal cuando estás esperando en la consulta del médico o en otro sitio donde no tienes mucha movilidad.

◆ Coge un rotulador negro y dibuja caras sonrientes en la yema de dos dedos.

◆ Mueve los dedos delante de tu hijo para llamarle la atención y finge que son dos títeres charlando.

◆ Si cambias el ritmo y tono de tu voz para cada uno de los títeres resultará más entretenido para él.

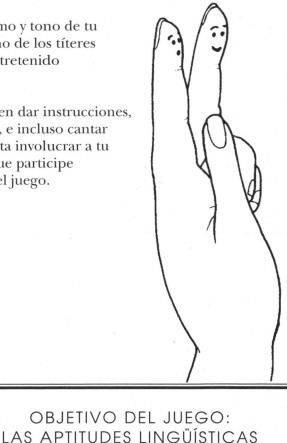

◆ Los títeres pueden dar instrucciones, hacer preguntas, e incluso cantar canciones; intenta involucrar a tu pequeño para que participe activamente en el juego.

◆ OBJETIVO DEL JUEGO:
LAS APTITUDES LINGÜÍSTICAS

Juega a imitarme

◆ Es mejor practicar este juego con una persona más como mínimo, aparte de tu hija.

◆ Escoge una persona para que sea el líder. Todos los demás deben sentarse delante de él o ella, incluyéndote a ti y a tu niña.

◆ Se trata de que el líder haga algún movimiento sencillo con los dedos de sus pies o sus manos, y que el resto de vosotros le imitéis.

◆ Si tu pequeña ve que todos hacéis lo que hace el líder, quizá se anime a participar. Aplaude sus esfuerzos y muy pronto estará jugando con entusiasmo (siempre que los movimientos sean fáciles de realizar para ella).

◆ Nombra a la persona a quien estáis imitando: «Papá está moviendo su dedo», o «Anita está moviendo su dedo».

◆ Si hay algún movimiento que le cuesta, ayúdale guiando sus manos o sus pies hasta que pueda realizar el movimiento sin ayuda.

◆ Unos ejercicios fáciles de realizar con las manos y pies serían moverlos, hacerlos girar en círculos pequeños, hacer el gesto de sujetar alguna cosa, abrir y cerrar las manos, mantener los dedos tiesos y sacudirlos, y después relajarlos y golpearlos juntos. Recuerda que cada ejercicio debería realizarse con ambos pies y ambas manos para que la coordinación sea pareja en ambos lados.

OBJETIVO DEL JUEGO:
APRENDER A IMITAR

Mira lo que hacen mis dedos

◆ Sienta a tu hijo en tu regazo y recítale este poema.

> *Mira mis diez dedos bailar y jugar,*
> *mira mis diez dedos brincar y saltar.*
> *Mira cómo juegan los deditos de mis pies,*
> *míralos y cuéntalos, y dime que son diez.*

◆ Toca cada uno de sus dedos cuando menciones los dedos de las manos y después haz lo mismo con los dedos de los pies, pero esta vez contándolos para que se familiarice con los números hasta diez.

◆ Enséñale cómo mover sus dedos (tanto de manos como de pies) de las siguientes maneras: meneándolos, agitándolos, cruzándose de manos y de pies, etc.

◆ OBJETIVO DEL JUEGO:
CONOCER EL PROPIO CUERPO

Pinocho

◆ Recita este poema a tu niño y toca cada parte de su cuerpo cuando se mencione en el poema.

Pinocho, ¿sabes hacer esto?
Tocarte la nariz, iz, iz,
tocarte las rodillas, illas, illas,
tocarte el pelo, elo, elo,
y tocarte los pies, es, es.
¡Muy bien, Pinocho, lo haces muy bien!

Pinocho, ¿sabes hacer esto?
Tocarte las orejas, ejas, ejas,
tocarte la cintura, ura, ura,
tocarte los ojos, ojos, ojos,
y tocarte la cara, ara, ara.
¡Muy bien, Pinocho, y ahora para!

OBJETIVO DEL JUEGO:
CONOCER EL PROPIO CUERPO

La caja-sorpresa

◆ Este juego sirve para ejercitar los dedos. Abre tus manos y mueve cada dedo, y después ciérralas apretando los puños. Repite estos ejercicios varias veces y después ayuda a tu hijo para que haga estos mismos movimientos.

◆ Cierra tu mano con el pulgar hacia adentro. Enséñale a hacer este gesto; si no lo consigue solo, ábrele la mano, dobla su pulgar hacia dentro y después ciérrale el puño.

◆ Recita este poema mientras te observa.

En la caja-sorpresa
te sientas callado.
  (Cierra tu mano con el pulgar para dentro.)
Amigo payaso, ¿no sales acaso?
Sí, saldré y un susto te daré.
  (Saca tu pulgar repentinamente delante de sus ojos.)

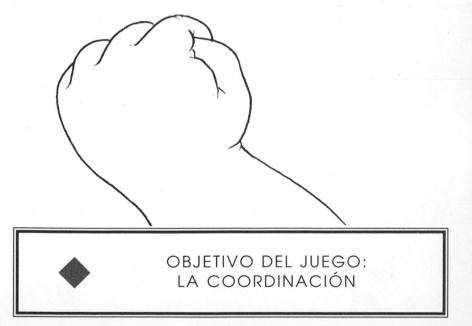

◆ OBJETIVO DEL JUEGO:
LA COORDINACIÓN

Cuidado, conejito

◆ Recita este poema mientras tu hijo y tú interpretáis los movimientos que corresponden a cada verso.

Estaba un conejito descansando bajo el sol
    (levanta tu dedo índice y tu dedo corazón para hacer las orejas del conejo)
mas, ¡Oh! llegó un perrito, que ladrando lo despertó,
    (ladra: «guau, guau, guau»)
y el conejito bobo, sin más ni más, huyó.
    ¡Mira cómo corre el conejo que se asustó!
    (Salta tus dos dedos por todo su brazo hasta llegar a su barbilla como si fueras un conejo escapándote y después hazle cosquillas.)

OBJETIVO DEL JUEGO:
APRENDER A IMITAR

Paco Pulgar y Pedro Pulgar

◆ Recita este divertido poema a tu hija mientras juegas con tus pulgares tal como lo indica el poema.

> *Paco Pulgar y*
> *Pedro Pulgar*
> *a la fiesta del pueblo*
> *fueron a bailar.*
> *Arriba, pulgares,*
> *abajo, pulgares,*
> *no vale esconderse*
> *tras esos lunares.*
> *Brincan en tus hombros*
> *y bailan en tu cabeza,*
> *y ahora dan piruetas*
> *con aires de grandeza.*
> *Pulgarcitos míos,*
> *a la cama debéis ir,*
> *pues acabó el baile*
> *y ya es hora de dormir.*

◆ En el último verso, esconde tus pulgares detrás de la espalda.

◆ Repite el poema, pero esta vez con el dedo índice.

> *Ignacio Índice ...*

◆ Por último, repite este poema moviendo todos tus dedos.

> *La familia de los dedos...*

OBJETIVO DEL JUEGO:
APRENDER A IMITAR

Diez dedos tengo

◆ Siéntate de cara a tu pequeño y recítale este poema mientras vas moviendo los dedos.

> *Diez dedos tengo,*
> *y todos me pertenecen.*
> *Con ellos mucho hago,*
> *pues siempre obedecen.*
> *¿Te gustaría ver*
> *lo que saben hacer?*
> *Las manos puedo cerrar,*
> *o abrirlas bien abiertas*
> *y cada dedo separar;*
> *si prefiero,*
> *los diez dedos puedo juntar,*
> *y con ellos al escondite jugar.*
> *Hacia arriba brincan bien,*
> *y hacia abajo también.*
> *Una mano a otra*
> *da un abrazo,*
> *y quietas las pongo*
> *sobre mi regazo.*

◆ Repite el poema y guía las manos de tu pequeño para hacer los movimientos.

◆ Repite el poema tantas veces como creas conveniente para no perder su interés y anímale a que interprete el poema contigo.

OBJETIVO DEL JUEGO:
SEGUIR INSTRUCCIONES

Juntemos las dos piernas

◆ Sigue las indicaciones de este poema sencillo con tu pequeña.

Juntemos las dos piernas,
las dos piernas juntemos,
juntemos las dos piernas,
y de nuevo comencemos.

◆ Repítelo pero esta vez sustituye este movimiento por los siguientes:

Saludemos con las manos...
Agitemos nuestros pies...
Toquémonos la nariz...
Aplaudamos con las manos...
Estirémonos hacia arriba...
Doblémonos hacia abajo...
Agitemos la cabeza...

OBJETIVO DEL JUEGO:
LA COORDINACIÓN

El bote de galletas

◆ Interpreta este poema con tus manos mientras lo recitas. Anima a tu hijo para que imite tus gestos.

> *Aquí está el bote de galletas.*
>   (Dibuja un círculo con tus manos,
>   como si sostuvieras una pelota.)
> *Aquí está la tapa.*
>   (Pon tus manos paralelas al suelo
>   con las palmas hacia abajo.)
> *Aquí están las galletas*
>   (haz círculos pequeños con cada mano
>   juntando el pulgar y el dedo índice)
> *que más le gustan a* (el nombre de tu hijo).
> *Mmm, ¡qué ricas son!*

◆ Pídele que te diga cuáles son sus galletas favoritas: las de trocitos de chocolate, las de azúcar, las de avena, o las de mantequilla.

◆ Juega de nuevo, pero en vez de decir: «Aquí están las galletas», menciona unas galletas en concreto: «Aquí están las galletas con pasas», por ejemplo.

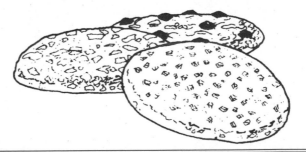

◆ OBJETIVO DEL JUEGO:
APRENDER A IMITAR

Juegos con las manos

◆ Los niños de uno a dos años necesitan ejercitar los músculos de las manos y los dedos; esto es muy importante para su desarrollo posterior. Por eso hacemos mucho hincapié en todos los juegos que involucran destreza manual.

◆ Aquí te sugerimos unas cuantas actividades fáciles de realizar y que además son divertidas. Primero deberás realizarlas tú y después enseñarle a tu pequeño para que pueda hacerlas también. De esta manera jugará y ejercitará sus músculos al mismo tiempo.

Mueve tus dedos como si estuviera lloviendo.

Junta el pulgar y el dedo índice de cada mano en forma de círculo, y ponlos delante de tus ojos como si fueran binóculos.

Mueve tus dedos como si fueran pinceles pintando sobre un lienzo.

Con una barra de labios u otros cosméticos que tengas a mano, pinta círculos sobre sus mejillas, una raya a lo largo de su nariz y un lunar en la barbilla.

Golpea una superficie con tu puño y después aplaude. Los ruidos que estas acciones provocan son muy distintos. Ahora intenta crear ritmos alternando estos dos movimientos: golpe, aplauso; golpe, golpe, aplauso, aplauso; golpe, aplauso, aplauso; etc.

Chasquea los dedos para que suenen como las palomitas cuando saltan.

Haz una pinza con tu pulgar y dedo índice para «pellizcar» la nariz de tu pequeño.

 OBJETIVO DEL JUEGO:
DIVERTIRSE

Una canción divertida

◆ Canta esta canción al son de «La pastora» con tu hija mientras usáis las manos tal como se indica.

Bate, bate palmitas,
palmas, 1, 2, 3.
Bate, bate palmitas,
y luego ¡señálame!

◆ Adapta la canción para incluir los siguientes movimientos y repite el juego.

Agita las manitas...
Cierra, cierra los puños...
Menea, menea los dedos...
Patea, patea con los pies...
Arruga tu nariz...
Golpea con tu puño...
Parpadea los ojos...

◆ Acaba siempre con la misma frase: «y luego señálame», pues es el momento en que tú y tu hija os vais a reír de las caras y los gestos de la otra.

OBJETIVO DEL JUEGO:
DIVERTIRSE

Yo toco

◆ Mientras le recitas este poema a tu hijo, ve tocando las partes de tu cuerpo que mencionas.

> *Yo toco los dedos*
> *de mis manos y pies,*
> *yo toco mis orejas,*
> *yo toco mi nariz.*
> *Yo toco mis ojos,*
> *abiertos de par en par,*
> *y toco mi boca,*
> *mis dientes y paladar.*

◆ Ahora usa los dedos de tus pies para tocar las partes del cuerpo que se mencionan a continuación.

> *Yo toco mi tobillo,*
> *yo toco mi rodilla,*
> *ahora me toco la barriga*
> *y después una costilla.*
> *Yo toco mis dedos,*
> *y me toco la mejilla,*
> *también me toco la nariz;*
> *¡qué ágil soy y qué feliz!*

◆ Mientras vas repitiendo el poema todas las veces que quieras, puedes ir enseñándole poco a poco a tocar las partes de su cuerpo con los dedos de sus manos y sus pies.

◆ OBJETIVO DEL JUEGO:
RECONOCER EL PROPIO CUERPO

Mariposa

◆ Si tienes algún libro ilustrado en el que salgan mariposas, aprovecha para enseñárselas a tu hija y hablar con ella sobre estos bellos y delicados insectos. Si es primavera o verano, sal a dar un paseo por tu jardín o por un parque para observar las mariposas. Hazle preguntas sobre sus colores y disfruta mirándolas con ella.

◆ Junta tus dos pulgares, extiende tus dedos y agítalos como si fueran las alas de una mariposa.

◆ Haz que la mariposa «vuele» mientras le recitas este poema.

> *Mariposa, qué bonita eres en tu vuelo,*
> *revoloteando sin cesar en el cielo,*
> *pero en algún momento descansarás.*
> *¿Dónde, dónde aterrizarás?*
> *Ya lo adivino...¡Aquí!*

◆ Haz aterrizar la mariposa sobre la nariz de tu pequeño.

◆ Ahora repite el poema y ayúdale a mover sus manos como una mariposa y a aterrizarlas sobre tu nariz, pues seguramente no podrá hacer esto solo.

OBJETIVO DEL JUEGO:
LA CAPACIDAD DE ESCUCHAR

Índice de canciones

Al corro de la patata	74
Al juego chirimbolo	184
Al pasar la barca	180
Al trote, al trote	155
Arre, borriquito	197
Arroyo claro	101, 186, 213
Aserrín, aserrán	235
Cucú, cantaba la rana	254
Debajo de un botón	181
Don Melitón	183
¿Dónde están las llaves?	76, 205
El cocherito leré	204
El farolero	126
El patio de mi casa	114, 125, 189
El señor Don Gato	129, 181
En la granja de mi tío	73, 162, 178, 193, 214
Fray Santiago	105, 150, 174, 193, 199, 201, 245
Había un hombrecito	249
La arañita juguetona	237
La cojita	26
La pastora	53, 73, 170, 280
La tarara	259
La viudita del conde Laurel	115, 190
Las campanas de Montalbán	155, 246
Las mañanitas	252
Marinero que se fue a la mar	145
Pim-Pom es un muñeco	26, 254
Porque es un chico excelente	62, 202, 210, 215
Pulgarcito	201, 247
Que llueva	250

Quisiera ser tan alta   72, 181
San Serenín   133, 218
Tengo una muñeca   40, 207
Un elefante   168
Una, dola, tela, catola   255
Vamos a contar mentiras   58, 206
Ya viene la vieja   244

EL NIÑO Y SU MUNDO

Juegos para desarrollar la inteligencia del bebé
Jackie Silberg

Juegos para desarrollar la inteligencia del niño de 1 a 2 años
Jackie Silberg